Combien de fois je t'aime

NOUVELLES

SERGE JONCOUR

À PROPOS DE L'AUTEUR

Serge Joncour est né à Paris en 1961. Il a commencé à écrire très jeune, notamment pour faire rire ses camarades de classe à l'école. Pourtant avant de publier son premier roman, *Vu*, en 1998, il a d'abord entamé des études de philosophie et exercé de nombreux métiers (maître-nageur, livreur de journaux, cuisinier, rédacteur publicitaire…).

Il est aujourd'hui l'auteur d'une douzaine de livres (romans et recueils de nouvelles) dont plusieurs ont été récompensés par des prix littéraires. Il est traduit dans une quinzaine de langues. Ses romans *U.V.* (2003) et *L'Idole* (2004) ont été adaptés au cinéma.

S'il aborde des thèmes variés, on retrouve généralement dans ses textes, un ton plein d'humour en même temps qu'une grande sensibilité aux êtres et à leurs fragilités.

Dans la collection Mondes en VF

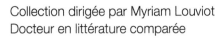

LA COLLECTION MONDES EN VF

Collection dirigée par Myriam Louviot
Docteur en littérature comparée

www.**mondes**en**vf**.com

Le site *Mondes en VF* vous accompagne pas à pas pour enseigner la littérature en classe de FLE par des ateliers d'écriture avec :

- une fiche « Animer des ateliers d'écriture en classe de FLE » ;
- des fiches pédagogiques de 30 minutes « clé en main » et des listes de vocabulaire pour faciliter la lecture ;
- des fiches de synthèse sur des genres littéraires, des littératures par pays, des thématiques spécifiques, etc.

 Téléchargez gratuitement
la version audio MP3

L'amour moderne

Elle avait toujours un bon quart d'heure d'avance, non pas vraiment par impatience, ni par trop vive envie de me voir, mais pour une simple question d'horaire. Sa coupure[1] commençait vers seize heures ou dans ces eaux-là[2], pour elle ça n'avait pas de sens de repasser d'abord par la maison, et d'en ressortir dix minutes après pour venir me prendre. Alors elle se plantait[3] là, dans cette rue sans boutique, elle m'attendait parfois salement, je pense aux jours de pluie, ou à tous ceux où il faisait froid. Je ne m'en rends compte que maintenant, pourtant j'aurais dû songer au dévouement que ça

---

1. Coupure (n.f.) : *Ici, pause.*
2. Dans ces eaux-là (expr.) : *Environ à cette heure-là.* (fam.)
3. Se planter (v.) : *Se mettre, se tenir debout et rester immobile.*

représente, surtout l'hiver, ce long quart d'heure qu'elle passait seule sur ce bout de trottoir, sans le moindre abri. À ce que j'en sais elle ne bougeait pas, elle s'adossait à l'arbre mince qu'il y avait là, juste en face de la sortie, elle fumait une cigarette ou deux, en pensant à quoi, à moi sans doute, à ce que serait sa vie si je n'étais pas là. À cause de ce travail qu'elle reprendrait tout à l'heure, jusqu'à très tard le soir, elle était habillée très femme, une jupe noire lui arrivait juste au-dessus des genoux, elle portait des collants chair, des chaussures élégantes à talons, un chemisier blanc en général, un simple manteau par-dessus en hiver, de toute façon elle n'avait jamais froid, jamais d'écharpe, le cou nu toujours offert, sans même une perle bas de gamme[4]. Elle restait là sans se mélanger aux autres, son caractère l'amenait à ça, à être un peu en marge[5], on la disait de son époque, moins pour l'atteindre que pour la résumer. Tout autour les temps changeaient, jupes courtes et voitures à angle droit, Renault12 et

---

4. Bas de gamme (expr.) : *Peu cher, de qualité médiocre.*
5. En marge (expr.) : *À l'écart des autres.*

Barbarella, mais d'élever seule son enfant, sans que ça ait valeur d'emblème[6], ça lui valait des commentaires, on trouvait ça pas trop normal, un peu bizarre, on se disait bien que ce devait être ça, l'amour moderne.

Moi, pendant ce temps-là, deux étages plus haut dans l'immeuble d'en face je continuais à verser dans les contes et les réprimandes[7], pour moi en général ça se passait mal, il n'y avait plus qu'une chose qui comptait, ce rendez-vous avec la femme en bas qui m'attendait. De toutes c'est sûrement celle qui l'aura le plus fait. De moi elle attendait quoi au juste[8], tout ou pas grand-chose, sinon la perspective immédiate de ces deux minces heures qu'on passerait ensemble, de ce petit trajet qu'on ferait à pied, en renouvelant toujours les mêmes promesses, en se disant, je crois, toujours à peu près les mêmes choses, avec chaque fois le

6. Sans avoir valeur d'emblème : *Ici, sans que ce soit un choix militant, sans avoir une portée symbolique.*
7. Verser dans les contes et les réprimandes : *Être/se trouver entraîné dans des mensonges et des reproches, des disputes.*
8. De moi elle attendait quoi au juste : *Qu'est-ce qu'elle attendait de moi exactement ?*

même arrêt à la boulangerie, pour acheter une pâtisserie devant laquelle je faisais semblant d'hésiter, alors qu'en fin de compte je prenais systématiquement la même chose, un éclair au chocolat dans lequel je mordais comme dans une joue, elle par contre ne voulait rien, elle ne mangeait pas, ou si peu, elle semblait même ne jamais manger, elle tenait par une force autre, elle, évidemment, c'était la plus forte, la plus belle, la plus grande, assurément c'était la plus grande. Chaque fois que sonnait l'heure et qu'on nous répandait[9] le long des couloirs, qu'on dévalait[10] comme des billes jusqu'en bas, je la retrouvais là, un peu en retrait, jamais très loin de l'arbre, quand elle n'y était pas adossée[11], les autres autour d'elle avaient toutes l'air de se connaître, de se parler, la mienne au milieu ne disait rien, simplement elle se distinguait, elle existait en étant de loin la plus seule, le regard perdu dans cette direction où elle me repêchait d'un sourire. Il aura fallu un jour une maîtresse

---

9. Répandre (v.) : *Laisser couler, renverser. Ici, laisser sortir, partir en tous sens.*
10. Dévaler (v.) : *Descendre très vite.*
11. Être adossé à : *Avoir le dos appuyé contre.*

pour remarquer ça, et me dire sur le ton d'une instruction décisive[12] qu'en matière de génétique il était une règle, qu'un homme était toujours plus grand que la femme qui l'avait fécondé[13]. Le mot m'avait semblé bizarre, un de plus à ce vocabulaire qui se fait par intuition[14], je la retrouvais chaque fois avec plus ou moins en tête ce mot-là, fécondé. L'arbre aussi était toujours là, en second parent, elle se tenait près de lui, elle ne s'avançait pas, elle me laissait me rapprocher d'elle, et plus je m'approchais plus elle était grande, je me disais qu'un jour il me faudrait dépasser ça. Une mère trop grande, est-ce que ça se peut ? Est-ce que, dans le fond, tous les enfants ne pensent pas ça, qu'à cause de la taille on est dans une relation impossible ? Il est des âges où un mètre soixante-dix ça a des allures d'intouchable, ça suppose de tenir haut le bras, pour marcher main dans la main, avec celle qui vous aime, qui vous aime c'est sûr,

---

12. Instruction (n.f.) : *Enseignement, information.*
Instruction décisive : *Enseignement capital, information primordiale.*
13. Féconder (v.) : *Ici, porter dans son ventre.*
14. Intuition (n.f.) : *Sentiment instinctif/immédiat, connaissance de la vérité sans aide du raisonnement.*

puisqu'elle n'attend que vous chaque fois, qu'elle n'a jamais manqué le moindre rendez-vous.

Je nous revois avancer dans la rue, comme si je nous voyais de face, petit couple en déséquilibre, elle a le regard déjà tendu vers son travail de ce soir, elle reprendra à sept heures et ne finira pas avant minuit, quand elle rentrera je dormirai déjà. On a tout juste deux heures à nous, toujours les deux mêmes, on y fera toujours plus ou moins les mêmes choses, elle s'assiéra devant moi, à la table de la petite cuisine, elle retiendra son envie de fumer, le temps que je prenne mon bol de chocolat, elle m'écoutera lui répondre à des questions qu'elle n'a même pas franchement envie de poser. Par moments, je sens bien qu'elle me regarde comme un être autre, celui qui était là à ma place, qu'elle resservait tant qu'il lui demandait, mais pas en lait, un insatiable[15] qui voulait tout, mais pas d'enfant. À cet âge-là, je n'arrivais pas à mettre des mots, et pourtant ses regards qu'elle perdait disaient tout ; pour elle, j'étais un peu de cet homme qu'elle avait aimé,

---

15. Insatiable (adj. ici employé comme nom) : *Qui n'a jamais assez, qui veut toujours plus.*

et en même temps j'étais la cause qui l'en avait détourné. Sans rien dire elle me dévisageait[16], à travers moi elle voyait quoi, elle écoutait qui ? Un peu ce type[17] sur la photo, cette photo mise là exprès sur le frigo, parce qu'on avait dû lui dire sans doute de me forger[18] un père à l'aide d'une image. Des photos c'est tout ce qui restait. Pas de quoi être jaloux. Et pourtant comment ne pas penser que c'est avec lui qu'elle aurait préféré passer ses deux heures de pause, ils en auraient fait tout autre chose, alors que là elle faisait quoi, sinon me faire répéter des leçons dont d'année en année le sens lui échappait, petit à petit elle n'y comprendrait plus rien, avec lui, c'est sûr, ç'aurait été bien plus exaltant[19], elle aurait fumé dans la cuisine, après une douche il l'aurait rejoint, nu peut-être, parce que c'était un type plutôt à l'aise à ce qu'il paraît, assez nature, à ce qu'on m'en dira plus tard, ton père c'était un bon vivant[20],

---

16. Dévisager (v.) : *Regarder quelqu'un avec attention, insistance.*
17. Type (n.m.) : *Homme.* (fam.)
18. Forger (v.) : *Fabriquer, construire.*
19. Exaltant (adj.) : *Enthousiasmant, passionnant.*
20. Bon vivant (expr.) : *Qui aime les plaisirs, la vie.*

un peu trop sans doute, bien trop vivant pour rester croupir[21] dans une petite vie toute faite, assommé par l'idée d'avoir fait un môme[22], et plus encore de le garder. Si ça n'avait tenu qu'à lui, il serait toujours là, moi pas. Pas de doute qu'avec lui la coupure aurait eu une autre gueule[23]. Je le sentais bien à quel point je ne faisais pas le poids[24]. Lui, c'est sûrement en bière qu'elle l'aurait resservi, lui, il aurait bu au goulot[25], pas dans un bol, il aurait fait gicler la mousse sur le carrelage et ça n'aurait pas fait toute une histoire, simplement elle en aurait été émue, elle y aurait vu une manifestation de plus de cette vigueur[26], de cette force qu'elle se plaisait à apprivoiser et qui chez moi mettait tant de temps à venir. Lui, il aurait trouvé les attitudes et les mots, les gestes surtout, pour lui faire oublier, à ma mère, que deux heures de coupure dans une journée, ça coupe tout

---

21. Rester croupir : *Ici, rester sans rien faire, stagner.*
22. Môme (n.m.) : *Enfant.* (fam.)
23. Gueule (n.f.) : *Visage. Ici, allure, forme.* (fam.)
24. Faire le poids (expr.) : *Être à la hauteur.*
25. Goulot (n.m.) : *Partie supérieure et étroite d'une bouteille.*
26. Vigueur (n.f.) : *Énergie, force.*

justement. Non, avec lui ces deux heures ça serait devenu tout autre chose, elle y aurait vu un éclair de liberté, un moment de folie, ces deux heures de coupure ils en auraient fait une journée en soi, une virée[27] à deux, hors du temps. Et dans le fond, qu'est-ce qu'ils en auraient fait de ces deux heures, l'amour je crois, je peux le dire maintenant, maintenant que la cuisine est loin et que j'ai quitté l'école primaire depuis plus de trente ans, maintenant que j'ai dépassé l'âge du gars[28] sur la photo, celle que j'ai là entre mes mains. Ça se voit tout de suite, ce type-là était de ceux dont le sourire tient bien au-delà de la prise de vue, de ceux qui sont déjà à dix pas hors du cadre une fois la photo prise, qui en sont déjà à chahuter[29] avec celui qui tient l'appareil, à lui faire jurer que la photo sera bonne, de ces ardents[30] qui existent tellement, qui sont tellement trop là quand ils sont là qu'ils continuent de vous remuer des années après que leurs éclats de rire ne font

---

27. Virée (n.f.) : *Sortie.* (fam.)
28. Gars (n.m.) : *Homme.* (fam.)
29. Chahuter (v.) : *Ici, plaisanter, voire agacer, énerver un peu.*
30. Ardent (adj. employé ici comme nom) : *Passionné.*

plus trembler les murs. Qu'on se compare à eux et on ne verra que des manques, qu'on essaye de faire pareil et on se paumera[31] tout de suite dans la faille, alors moi je faisais quoi depuis qu'il était parti, je trempais des Chocos BN dans un bol de chocolat froid, je me plaignais toujours du courant d'air dans mon dos, parce que tout de même elle la fumait sa cigarette, auprès de la fenêtre ouverte, à la table de la petite cuisine je devais avoir l'air contrit[32] de ces amants qui sentent qu'ils n'ont pas été à la hauteur, qu'ils ne sont pas allés assez loin dans le plaisir de l'autre, qui invitent tout juste la compassion[33].

L'attitude de l'enfant c'est de ne jamais rien aboutir[34], vraiment, de tout faire pour montrer à quel point il a besoin du parent, renverser son bol, ne pas le mettre dans l'évier, ne pas le laver, laisser traîner ses affaires, ne pas faire son lit, tout ça ce sont des appels, des façons de faire

---

31. Se paumer (v.) : *Se perdre.* (fam.)
32. Contrit (adj.) : *Qui regrette ses actions, ses erreurs. Ici, chagriné de ses maladresses.*
33. Compassion (n.f.) : *Pitié.*
34. Aboutir (v.) : *Finir.*

comprendre qu'on est rien sans l'autre, que tout seul on s'en sort pas. Ça se voit qu'on ne s'en sort pas. Pourtant, une fois les deux heures passées, je me gardais seul. Elle repartait vers sa deuxième journée, je me jurais de ne pas m'endormir avant de l'avoir entendue rentrer, quitte à éteindre au dernier moment. Jambon-coquillettes, petits pois, en général ce qu'elle m'avait préparé tournait autour de ça, c'était les saveurs primitives[35] de l'absence, sinon, si vraiment j'avais voulu, il y aurait bien eu la voisine, mais la perspective de me mettre au milieu d'eux quatre à table, à faire le faux frère, à regarder leur télé, c'était pas plaisant. Non, je préférais exister seul, je sentais qu'il y avait là quelque chose de l'ordre de la prédestination[36], et puis la photo tout de même m'accompagnait, juste là sur la porte du frigo. Ce compagnon[37]-là je me promettais un jour de le rejoindre, de tout en comprendre, peut-être même de lui ressembler.

---

35. Primitives (adj.) : *Premières, les plus anciennes.*
36. Prédestination (n.f.) : *Destin.*
37. Compagnon (n.m.) : *Personne qui tient compagnie, qui est avec quelqu'un.*

La goutte de sang

C'était au cours d'une fête, pour un anniversaire, je ne me souviens pas précisément de qui. Dans le salon il y avait du monde, une femme se tenait là près de la porte, comme elle je ne connaissais personne. J'arrivais avec une bouteille de champagne à la main, ne voyant pas à qui la remettre je l'ai ouverte et me suis mis à servir autour de moi. Elle m'a tendu sa coupe[38], je lui ai demandé son prénom.

En général quand on se présente on a l'humeur idéale, on masque tout signe de déveine[39] ou de dérèglement, on s'offre à l'autre dans une forme de présence totale. Elle n'avait pas cette

---

38. Coupe (n.f.) : *Verre à pied.*
39. Déveine (n.f.) : *Malchance.*

prudence-là. J'ai tout de suite senti chez elle une sorte de détachement, une manière d'absence, en même temps c'était charmant. Chaque fois que je disais quelque chose, elle me faisait répéter, à cause du bruit que faisaient les autres, de la musique aussi, mais pas seulement. Comme elle j'étais un peu perdu, je lui disais que c'était une sorte d'état naturel, ni solitaire ni distant, juste un peu à l'écart. Sans souci du paradoxe[40] je lui assurais que je n'étais pas du genre à engager la conversation avec une inconnue, en disant cela je ne mentais pas, ça peut se révéler désolant d'aborder quelqu'un comme ça, de se mettre à parler de n'importe quoi, surtout pour réaliser qu'on n'a rien à se dire, que le propos cale[41] dans des phrases courtes. Et puis tout de même il y a des êtres avec lesquels le courant passe[42], ceux dans lesquels on se retrouve un peu, on se reconnaît, une sorte d'humeur régit[43] ça, une chimie moléculaire qui combine plus

---

40. Paradoxe (n.m.) : *Contradiction.*
41. Caler (v.) : *Rester coincé, s'arrêter. Ici, tenir dans des phrases courtes.*
42. Le courant passe (expr.) : *On s'entend bien, on se comprend.*
43. Régir (v.) : *Commander.*

ou moins heureusement ses parfums. Avec elle les propos s'enchaînaient bien, les silences ne gênaient pas, d'autant qu'on s'était mis à fumer, la cigarette ça aide entre deux phrases, ça permet de regarder ailleurs, de détourner le visage pour souffler la fumée, ça rend supportable ce petit air absent, suspendu au bout du filtre. Je lui parlais, mais en même temps je pensais à son corps, à ce qu'il devait être, par moments me venait son parfum. Ce que je retrouvais en elle, c'était ma propre difficulté à participer de la fête, d'ailleurs les soirées, je ne fais jamais qu'y passer, toujours en invité, je ne suis pas de ceux qui organisent, de ces festifs[44] qui mettent en scène leur anniversaire au point d'en faire un vrai temps fort, populaire, éclatant. La conversation était partie de ça justement, de l'incommunicabilité. Je me retenais au maximum de lui poser la question de savoir ce qu'elle faisait dans la vie, comme si tout s'étalonnait[45] à partir de cette indication-là, et à

---

44. Festif (adj. ici employé comme nom) : *Qui aime faire la fête.*
45. S'étalonner (v.) : *Ici, s'organiser, s'ordonner.*

un moment je n'ai pas pu m'en empêcher. Sans émotion elle a répondu qu'en ce moment elle ne travaillait pas, qu'elle avait perdu son boulot, là-dessus elle inspira plus profondément la fumée et la bloqua en elle, elle ne souriait plus. En feignant[46] la conviction je lui ai dit que c'était une chance, de ne pas travailler, qu'elle devait en profiter pour faire le point, se reposer, se recadrer, toutes ces banalités qu'on peut dire quand on veut se montrer rassurant. Le champagne aidant elle a apprécié qu'on dédramatise[47], qu'on ne lui fasse pas de remarque du genre, il faudrait que tu t'actives, un an de chômage tout de même, ça commence à devenir long… Pourtant, par expérience, je savais à quel point on se sent perdu quand on arrive au bout de ses indemnités[48], on rentre dans une phase abstraite, l'avenir devient improbable, totalement réquisitionné par le présent, le temps file de toute part. Mais je n'en rajoutais pas, au contraire, je lui disais même qu'elle

---

46. Feindre (v.) : *Faire semblant.*
47. Dédramatiser (v.) : *Rendre la chose moins grave.*
48. Indemnité (n.f.) : *Ici, argent que l'on reçoit un certain temps de l'État quand on est au chômage.*

en profite, que tout ce temps libre était une aubaine[49], une parenthèse enchantée[50], du coup elle s'était sentie bien avec moi, elle m'a demandé deux fois que je la resserve en champagne, on trinquait en se soutenant le regard, on se frôlait sans que ce soit gênant, sans m'en rendre compte je lui posais la main sur le bras.

Une rencontre c'est un moment de grâce, sur le coup on se sent idéal et drôle, bien dans sa peau ; c'est fou ce qu'on aimerait ressembler à cette image qu'on donne de soi dans ces épisodes-là. Je lui parlais de moi comme si j'étais un garçon sûr, équilibré, sans faille[51], sans vrai souci, alors que j'avais pourtant ce qu'il faut de désordres et d'imprécisions, une rupture toujours pas cicatrisée[52], une carrière qui ravalait peu à peu ses promesses, sans parler de ces déboires[53], ces reconversions[54] comme autant

---

49. Aubaine (n.f.) : *Chance, bonne occasion.*
50. Parenthèse enchantée : *Pause dans l'existence où tout semble parfait, magique.*
51. Sans faille : *Sans faiblesse.*
52. Cicatrisé (adj.) : *Guéri, soigné.*
53. Déboire (n.m.) : *Déception, difficulté.*
54. Reconversion (n.f.) : *Changement de genre de travail.*

renunciations

de reniements. Au moins j'avais un boulot, ça sert de repère un boulot, alors bien sûr, face à elle, j'avais beau jeu[55] de me montrer rassurant. Elle me plaisait après tout, je la trouvais touchante, ses boucles blondes sur ses yeux tristes, ce silence accoudé à son sourire, elle dégageait quelque chose d'à la fois douloureux et doux, alors on s'est raccompagnés jusqu'à nos taxis, on a échangé nos numéros, on s'est envoyé deux trois textos[56] le soir même, on s'est appelés le lendemain, et on s'est vus trois jours après, au restaurant, par touches prudentes on s'est livrés davantage, puis on s'est revus, de jour en jour on se rapprochait, mais pas physiquement. Je la sentais réticente[57]. Chaque fois que j'avançais vers elle, dans ses yeux je lisais bien moins l'envie de céder que la peur du vide. Tant qu'on n'a pas fait l'amour il n'y a pas que les corps qui restent à distance, la complicité reste hantée[58] par cette question-là, de savoir

---

55. Avoir beau jeu (expr.) : *Être en situation favorable (c'est facile pour lui).*
56. Texto (n.m.) : *Message court envoyé par téléphone.*
57. Réticent (adj.) : *Hésitant, prudent.*
58. Hanté (adj.) : *Ici, marqué, habité, dominé.*

si on se touchera un jour ou pas, et comment ça se passera.

Au moment de se quitter elle proposait chaque fois de se revoir, c'est elle qui m'appelait, quand je lui parlais de dormir chez moi, ou chez elle pourquoi pas, elle me demandait d'attendre. D'attendre quoi ? Je revenais chaque fois sur le sujet en évitant d'être insistant, lourd, mais tout de même, j'y revenais. Elle ne se réfugiait même pas dans de fausses explications, sur un problème ou le fantôme d'un traumatisme quelconque, simplement elle disait qu'elle allait mal, petit à petit elle me faisait sentir à quel point elle avait besoin que quelqu'un soit là, qui la prenne dans ses bras, simplement ça. Face à une telle demande, je m'étais dit quoi, en la prenant dans mes bras justement, que je voulais lui prendre la taille, les seins, faire passer ma main de l'autre côté de ses vêtements, ces pensées-là viennent par rafales[59], surtout quand on se rapprochait comme ça,

---

59. Rafales (n.f.) : *Ensemble de coups répétés, violents.*
Par rafales : *Ici, ses pensées arrivent brutalement dans sa tête et se succèdent rapidement.*

qu'elle m'enserrait comme une enfant, mais bon, j'évitais, j'osais un peu, elle me retenait, elle me tendait son corps sans me l'offrir, et quand je tentais de l'embrasser, quand j'essayais, elle détournait la tête d'un mouvement urgent.

Sa seule explication c'est qu'elle n'avait pas la tête à ça[60], alors j'étais patient, je m'estimais fort. Au-delà de la grâce de vouloir aider, il y a toujours un certain orgueil à croire qu'on sera celui qui saura trouver les mots, qui changera tout. De toute façon une relation à deux, ça part sur les bases d'une imperfection, l'osmose[61] ou les accords parfaits, ça n'existe pas, même pas dans les histoires, jamais. Ce besoin qu'elle avait de s'en remettre à moi, ça m'attendrissait, je me sentais presque important, un soir elle m'a demandé de rester coucher chez elle, du coup je suis resté, toute la nuit je ressentais comme une fierté de ne pas l'avoir touchée, de sentir sa tête posée sur mon épaule, la bouche tout près de mon cou, et de la laisser dormir, sans la heurter[62].

---

60. Avoir la tête à ça (expr.) : *Penser à ça, avoir envie de ça.*
61. Osmose (n.f.) : *Fusion, accord parfait.*
62. Heurter (v.) : *Brusquer, blesser, choquer.*

Après quelque temps à se fréquenter, à des dates de plus en plus rapprochées, après plusieurs nuits passées dans la pudeur des astres[63], je trouvais qu'elle allait mieux, il y avait même des jours où franchement ça allait, on passait des samedis entiers à se dire que ça allait, on se retrouvait le vendredi soir, on meublait l'hiver en faisant comme tout le monde, sans tenter l'extraordinaire, sans plus passer par des cafés ou des restaurants, on se retrouvait directement chez elle, elle préférait être chez elle, elle voulait de moins en moins sortir de son quartier. Elle aimait faire la cuisine, c'était un de ces moments où elle contrôlait tout, étrangement pacifiée elle disait cuire toute chose *à la goutte de sang*, cette expression chez elle revenait chaque fois, que ce soit pour de la viande rouge, le canard, l'agneau et même le poisson, chaque fois elle soulignait ça, avec un sourire lumineux de satisfaction, qu'elle avait réussi la cuisson au plus juste, *à la goutte de sang*. C'est vrai, quand on plongeait la fourchette ça saignait un peu.

---

63. Dans la pudeur des astres : *Ici, cela signifie sans avoir de relations sexuelles.*

Durant la semaine elle restait chez elle, concentrée sur sa recherche d'emploi, moi ça m'allait[64]. Du vendredi soir au lundi matin ça m'allait. Le vendredi on dînait tous les deux, elle mettait du temps pour faire un plat, elle le réussissait toujours, on se louait un film plutôt que d'aller au cinéma. Pourquoi pas. On sortait faire une course, parfois, comme ça dans la rue, elle voulait juste que je la prenne dans mes bras et que je serre fort, encore plus fort, elle perdait sa tête dans mon cou, sans bouger, les passants nous regardaient, pas loin de s'apitoyer[65], nous imaginant dans la détresse.

Dans le fond, à un détail près on était deux, je veux dire un couple. En même temps, comme depuis des années je vivais seul, c'était un subtil compromis. Je baignais dans la plénitude[66] facile d'avoir le samedi à portée de main, de vivre ça comme une apothéose[67], quant au dimanche je le voyais comme la souveraine éclaircie, le dimanche pour moi c'était une

---

64. Ça m'allait (expr.) : *Ça me convenait.*
65. S'apitoyer (v.) : *Avoir pitié.*
66. Plénitude (n.f.) : *Bonheur, satisfaction.*
67. Apothéose (n.f.) : *Ici, moment le plus fort, le plus intense.*

montre oubliée, pas l'ombre d'un devoir, à la limite on ne se sentait même pas obligé de faire tout un tas de choses, d'aller au musée, au restaurant ou au bois, ça m'allait bien de ne rien faire, ça ne gênait pas. Pour elle, par contre, les dimanches passaient mal. Pour qui ne travaille pas, le dimanche ça a des allures de mauvaise blague. Alors plus le dimanche insistait, plus ça l'angoissait. Le soir elle devenait la proie[68] d'un ennui total, un ennui surplombant comme une armoire au pied de laquelle elle serait tombée. Par moments, je la surprenais qui pleurait, elle ne pouvait pas s'empêcher de pleurer, elle se fendait[69] de quelques souvenirs pour expliquer ça, elle attendait toujours que le soir soit complètement tombé avant d'allumer, ce qui fait qu'on restait là sans bouger, gagnés par la pénombre[70] de l'appartement. Petit à petit je prenais la mesure de son malaise. D'être deux

---

68. Proie (n.f.) : *Victime.*
Devenir la proie : *Être sous la domination de quelque chose ou quelqu'un, ici, l'ennui.*
69. Se fendre de (v.) : *Faire quelque chose par devoir, par nécessité, sans y croire vraiment.* (fam.)
70. Pénombre (n.f.) : *Obscurité, ombre.*

ne divise pas la tristesse de l'autre. D'autant que par moments il y avait autre chose, le mot de tristesse ne suffirait pas, vaudrait mieux parler de désordres, je la sentais devenir confuse, prostrée[71], à nouveau elle me demandait que je la serre fort, plus fort, toujours plus fort, ça pouvait durer, si je ne nous défaisais pas de la prise, elle serait restée sans bouger, ou alors elle se levait le temps d'allumer une cigarette, et elle revenait se blottir[72] tout contre moi, elle se raccrochait mieux qu'à un arbre, sa cigarette se fumait seule dans le cendrier.

→ Seulement voilà, petit à petit, les dimanches soir j'ai préféré les passer seul chez moi, en manière de prétexte je disais que j'avais des choses à préparer pour le lendemain. Elle m'appelait au moins dix fois. Elle essayait de dédramatiser, elle évoquait déjà le programme du week-end prochain, ce qu'on y ferait, comme si elle avait besoin de ça pour tenir, pour traverser sa semaine en solitaire. Par petites touches

---

71. Prostré (adj.) : *Abattu, déprimé, sans énergie.*
72. Se blottir (v.) : *Se serrer, chercher protection ou tendresse auprès de quelqu'un.*

elle tentait de revenir sur nos dispositions, de se voir un peu le mardi, ou le jeudi, je lui disais que non, c'était mieux comme ça, la semaine il valait mieux qu'elle reste concentrée sur ses recherches, qu'elle y consacre son temps, et mine de rien[73] je m'étais sincèrement mis à le penser. Ce qu'elle faisait ? Tout ce que je sais c'est qu'elle passait des coups de fil, décrochait[74] des entretiens, à ce qu'elle m'en disait on lui demandait chaque fois d'attendre la réponse, on la rappellerait, on lui enverrait un courrier ou un mail, alors évidemment, à force, des réponses elle en attendait plein, autour d'elle il n'y avait plus que ça, des promesses qui n'en finissaient pas de refleurir de semaines en semaines, des forêts de possibles au travers desquelles elle essayait de garder le cap[75]. Elle passait ses journées à attendre, à se battre ou à se perdre, je ne sais pas bien, enfin si, j'imagine. Là aussi elle m'appelait, dans les premiers temps on se téléphonait uniquement le soir,

---

73. Mine de rien (expr.) : *Sans en avoir l'air.*
74. Décrocher (v.) : *Ici, obtenir.*
75. Garder le cap : *Continuer dans la même direction.*

c'était convenu, et finalement elle s'est mise à me joindre aussi la journée, plusieurs fois par jour sur mon portable. Je prenais chaque fois l'appel, si j'étais en rendez-vous je m'excusais auprès du fournisseur ou du client qui était là en face de moi, je faisais quelques pas de côté afin de bien l'écouter, en général je faisais attention, je veillais à ne pas laisser un seul de ses coups de fil sans réponse, sans quoi ça l'affolait[76].

Et puis un jour, j'étais pourtant seul à mon bureau, mon portable s'est mis à sonner, au prénom j'ai bien vu que c'était elle, et pourtant pour la première fois je n'ai pas répondu. C'est toujours comme ça, il y a toujours une première fois, un premier appel auquel on ne répond pas, je voyais son prénom qui insistait là sur l'écran, mais je n'ai pas décroché, mesurant bien l'effet que ça devait produire, là-bas à l'autre bout du fil, pas de doute que ça l'inquiétait, à la limite ça lui faisait mal. Elle a rappelé une deuxième fois, puis une troisième un peu plus tard, au

---

76. Affoler (v.) : *Faire peur, paniquer.*

point que je me suis demandé si elle cherchait vraiment à me joindre ou à reproduire ce mal. Après dix minutes à me poser la question c'est moi qui l'ai rappelée, je suis tombé sur sa voix d'enfant craintive, apeurée, je lui ai menti en lui disant que mon téléphone était resté dans un autre bureau, que je n'avais pas entendu, j'ai tout de suite senti son visage se détendre, sa respiration s'apaiser, voilà c'est tout, je lui ai juste dit que j'avais beaucoup de choses à faire, que je la rappellerai plus tard dans la soirée, ou plutôt demain. Je restais vague[77].

Ce soir-là, il était vingt et une heures passées quand j'ai refermé l'ordinateur, à cause d'un client dont le mail de réponse ne venait pas. En sortant de mon bureau elle était devant l'immeuble, à m'attendre. Elle devait être là depuis longtemps, en temps normal je sortais vers dix-neuf heures, elle le savait. Elle était là près d'un arbre à fumer une cigarette, le regard à terre, j'ai tout de suite vu de nom-breux mégots[78] sur le trottoir, il faisait froid,

---

77. Vague (adj.) : *Peu précis.*
78. Mégot (n. m.) : *Ce qui reste d'une cigarette fumée.*

j'ai été submergé par cette image, ses cheveux semblaient poisseux[79], collés comme s'il venait de pleuvoir, il avait plu peut-être, elle tenait les deux pans[80] de son manteau ramenés l'un sur l'autre, elle avait froid. Elle m'a vu marcher vers elle, moi qui sortais de mon travail, et elle qui n'en avait pas, moi qui devais la rappeler et qui ne le faisais pas, dans son regard la reconnaissance montait comme une douleur, entre nous quelque chose allait rompre[81], ou céder. Sans rien lui dire je l'ai enlacée[82], j'ai posé mes lèvres sur sa bouche, à la place d'un baiser je lui ai fait une douce morsure[83], de plus en plus soutenue, en serrant de plus en plus fort sa lèvre tendre entre mes dents, elle réprimait d'infimes gémissements, je sentais son corps s'abandonner sous la prise, la douleur palpitait comme une sève[84] ardente, elle s'offrait de

79. Poisseux (adj.) : *Un peu collants.*
80. Pan (n.m.) : *Côté.*
81. Rompre (v.) : *Se casser, se briser.*
82. Enlacer (v.) : *Prendre dans ses bras.*
83. Morsure (n.f.) : *Action de mordre (serrer entre les dents).*
84. Sève (n.f.) : *Liquide qui circule à l'intérieur des plantes, un peu comme le sang.*
Comme une sève ardente : *Ici, comme un liquide qui procure de la vigueur.*

tout son être, de toutes ses veines, la bouche tendue vers une douleur qu'elle aspirait. On ne se lâchait pas, on tenait très fort, de plus en plus fort vraiment, jusqu'à la goutte de sang. Elle était presque heureuse de constater la petite marque rouge sur le kleenex que je lui ai tendu. Sans rien lui dire je l'ai enlacée, j'ai arrêté un taxi, une Mercedes noire d'assez peu de standing, et lui ai donné mon adresse.

Toute une vie dans un portable

Depuis la baie vitrée[85] de mon salon, la vue est imprenable[86] sur des rangées d'immeubles, des guirlandes de fenêtres allumées où les gens font leur soirée, des appartements où la vie se passe au cas par cas, dans une modulation[87] de tons jaunes. Certaines façades sont assez proches pour voir précisément le spectacle, aux autres je ne distingue que des petits êtres lointains, des figurines[88]. À un moment j'ai la sensation de sentir vibrer mon téléphone au fond de ma poche, objectivement je le sens, alors que non, personne n'appelle. J'ai souvent

---

85. Baie vitrée : *Large fenêtre.*
86. Vue imprenable : *Très bonne vue, vue d'ensemble.*
87. Modulation (n.f.) : *Variation.*
88. Figurine (n.f.) : *Petite figure, statuette ou jouet.*

cette illusion-là dans la journée, de le sentir frémir[89] le long de ma jambe, dans la poche intérieure de ma veste, souvent même je jette un œil[90]. Rien. Deux milliards d'abonnés dans le monde, deux milliards de possibilités et si peu d'appels pour moi. Il m'arrive même de faire semblant de téléphoner, c'est vrai, quand j'aperçois de loin un importun[91], un collègue qui pourrait me parler, ou simplement pour me donner une contenance dans un endroit où il y a du monde, dans un de ces grands moments de solitude. Il m'arrive même de le faire chez moi, à la fenêtre. Depuis que je ne fume plus, je fais semblant de téléphoner. Je ne voudrais pas que mes vis-à-vis[92] pensent que je vis seul à ce point.

Ce soir, ce n'est pas que je sois plus célibataire que d'habitude, c'est juste que ça m'apparaît. Assis dans le canapé je fais défiler

---

89. Frémir (v.) : *Trembler, vibrer.*
90. Jeter un œil (expr.) : *Regarder.* (fam.)
91. Importun (n.m.) : *Personne gênante, qui dérange, que l'on n'a pas envie de voir.*
92. Vis-à-vis (n.m.) : *Personne qui se trouve en face.*

la ribambelle[93] de Contacts en sommeil dans mon portable. Dès la lettre A j'en vois qui n'appellent pas, des numéros sans présence. Pourtant derrière ces chiffres il y a des êtres avec lesquels j'ai eu à faire à un moment ou à un autre, que j'ai connus plus ou moins, des gens qui seraient plutôt surpris de voir mon nom s'afficher, ceux dont je suis sorti de la tête mais pas du répertoire[94], d'autres sur l'écran desquels mon appel n'affichera même plus mon nom, qui répondront sans savoir que c'est moi, et qui s'en voudront immédiatement. Alice par exemple, je suis sûr qu'elle serait ravie que je l'appelle, même si à cette heure-là je sais d'avance que ça ne l'arrangera pas, l'enfant de trois ans toujours pas couché, le dîner vite fait en bout de course de toute fin de journée, pour Alice, c'est sûr, à neuf heures du soir c'est pas le bon moment. Il y aurait bien Alain, celui-là c'est l'ami de toujours, il n'y a pas encore si longtemps c'était l'ami vraiment, et puis voilà

---

93. Ribambelle (n.f.) : *Suite de personnes, choses en grand nombre.*
94. Répertoire (n.m.) : *Liste d'adresses, de contacts.*

on a changé de cercle[95], même nos souvenirs ne nous diraient plus rien, d'ailleurs à mieux y regarder ils ne sont pas si bons que ça nos souvenirs, en général on se voyait de nuit, toujours plus ou moins enivrés[96], jamais pour de vrai. Il y aurait bien Alan, mais Alan c'est pas le type à déranger un soir pour parler, Alan c'est pas le genre à perdre son temps pour écouter l'autre, Alan est un garçon qui va bien d'une façon permanente, toujours entre deux rendez-vous, deux taxis, deux histoires… Anne par contre c'est quelqu'un de doux, mais consciencieux[97], si je l'appelais, tout d'abord je ne couperais[98] pas à la franche explication. Comment ? Après trois mois sans donner signe de vie, d'un coup tu te mets à m'appeler comme ça le soir, et il faudrait que je sois là, que je te réponde ? Appeler Anne, ce serait reprendre une conversation laissée en plan en septembre, tout l'été on s'était vus, trois mois à se fréquenter, on a même passé plusieurs nuits ensemble, et puis

---

95. Cercle (n.m.) : *Ici, cercle d'amis, fréquentations.*
96. Enivré (adj.) : *Ivre, qui a trop bu.*
97. Consciencieux (adj.) : *Qui fait les choses avec sérieux.*
98. Couper à (v.) : *Éviter, échapper.* (fam.)

au retour d'un week-end raté de septembre je n'ai pas répondu à un de ses textos, elle a laissé deux de mes appels sans réponse, et à partir de là on s'est laissés tomber. Anne-Lise c'est le genre de numéro que je devrais effacer, mais j'y suis attaché à mes numéros, je les garde comme des souvenirs à revisiter. André, un collègue, on s'était échangé nos numéros parce qu'on ne pouvait pas faire autrement, ça arrive parfois, de prendre le numéro de quelqu'un tout en sachant qu'on ne s'en servira jamais. Audrey, ce serait plutôt étrange, après ce qu'on s'était dit il y a un an. Aurélie aurait vite fait de trouver la faille, elle s'inquiéterait de savoir si je ne suis pas dans le café en bas de chez elle. Bastien, par contre, à coup sûr il me demanderait où est-ce que je suis en ce moment, en priant pour que je sois dans un bistro[99], histoire de me rejoindre, avec Bastien ça se terminerait avec le vin bien plus qu'avec le cœur, avec Blanche ce serait plus calme, au mieux elle me dira de passer, de m'asseoir, elle me regardera en restant debout,

99. Bistro (n.m.) : *Café, bar.* (fam.)

elle me parlera tout en passant sa main sur son visage, fignolant[100] un air grave, avec Blanche je serai encore une fois l'inabouti, le pauvre type qui ne sait pas s'y prendre, avec Blanche ce sera la pluie sur le cours de Vincennes, la marche interminable jusqu'à l'arrêt d'un bus, avec Blanche ce sera l'hiver sans les vitrines, un Noël sans guirlande, en ressortant de chez Blanche ce sera pire encore, il n'y aura même plus de bus, il n'y aura que des souvenirs à reluire sur ces trottoirs maudits, ce sera replonger dans ces années de vie commune, toutes nos soirées à se croire heureux. Brigitte, je ne vois plus bien qui c'est. Bruno aura autre chose à faire, Bruno est toujours au boulot, ou dans un de ces dîners qui socialement représentent, Bruno est de ceux qui foncent[101], dans tous les domaines il est efficace, si ça se trouve pour faire quatre mômes il n'aura fait que trois fois l'amour, je dis ça à cause des jumeaux[102]. Dès la lettre C l'alphabet me gagne comme une eau

---

100. Fignoler (v.) : *Préparer au mieux, faire quelque chose avec soin.*
101. Foncer (v.) : *Aller très vite, de l'avant.*
102. Jumeaux (n.m.) : *Deux enfants nés d'un même accouchement.*

froide. Camille, la pauvre, elle a déjà tellement à faire avec une vie qui n'avance pas, même les bonnes nouvelles l'inquiètent, alors l'appeler un soir à l'improviste[103], ce serait la faire douter un peu plus.

Aux immeubles voisins il y a moins de lumière, les cuisines sont en mode veille[104], les salons ondulent[105] dans les tons bleus.

Après un petit moment de réflexion me revient que Christine est une cousine, on s'était retrouvés avec toute la famille, le jour de l'enterrement de la grand-mère, autour d'un verre à la sortie de l'église, parce qu'on n'en pouvait plus de ce froid. Le pot on l'avait pris sur le café de la place, en famille, par la force des choses on se disait tu, alors que pour la plupart on ne s'était pas revus depuis quinze ans. On avait quoi à se dire, pas grand-chose, sinon soulever des souvenirs rancis[106], même

103. À l'improviste (expr.) : *De manière spontanée, sans prévenir.*
104. Mode veille : *En général pour des appareils électroniques, état de pause sans être complètement éteint.*
105. Onduler (v.) : *Bouger en faisant un peu comme des vagues.*
106. Ranci (adj.) : *Un peu trop vieux, plus très frais.*

les sourires étaient âcres[107], faut dire que la grand-mère était fraîchement sous terre tout de même, bien sûr c'était pas une surprise mais ça faisait drôle, depuis plusieurs années elle n'était plus vraiment là, elle nous regardait comme des passagers restés à quai, mais ce coup-là, tout bonnement, elle n'existait plus. On était restés au moins une heure dans le café de la place, à flotter, le présent nous allait mal, et même si pour la plupart on ne le réalisait pas, une sacrée page était en train de se tourner, d'ailleurs on se regardait tous en coin, on jetait un œil, comme sur de vieilles pages trop lues. Dans une sorte de cérémonial fiévreux on s'était proposé d'échanger nos numéros, c'était pratique comme idée, ça permettait de clore[108] la conversation, souvent d'échanger les numéros ça sert à ça, c'est un peu l'inverse des présentations. On se donnait nos prénoms et nos dix chiffres, on découvrait que chez les filles le nom de famille avait changé, chez les

---

107. Âcre (adj.) : *Au goût un peu désagréable. Ici, des sourires qui ont quelque chose de désagréable, de douloureux.*
108. Clore (v.) : *Fermer, finir.*

garçons c'est plutôt les cheveux, pendant que l'autre pianotait[109] sur son clavier on retrouvait chez lui des mimiques[110], une façon de se pincer les lèvres quand il s'appliquait, on retrouvait la timidité de certains, l'air de sérieux de l'autre, pendant ce temps-là la grand-mère était de plus en plus reposée là-bas, plus ou moins pour toujours. Elle avait eu le téléphone dans les années 80 la grand-mère, mais elle n'appelait jamais, elle ne répondait pas, c'est vrai, mémé elle s'en servait jamais de son téléphone, hein tu te souviens… Jamais.

Christian, ça servirait à quoi de te parler de mes états d'âme[111], toi qui m'as toujours pris pour un solide, toi qu'auras jamais rien vu de la faille, si je débarquais ce soir au téléphone, pour parler tout simplement, à tous les coups, c'est sûr, tu le prendrais mal, je baisserais rudement dans ton estime[112]. David, il serait ravi qu'on

---

109. Pianoter (v.) : *Taper doucement du bout des doigts, un peu comme sur un piano.*
110. Mimique (n.f.) : *Expression du visage.*
111. État d'âme (n.m.) : *Sentiment.*
112. Baisser dans l'estime de quelqu'un (expr.) : *Perdre l'opinion positive de quelqu'un, être moins apprécié.*

cause, mais d'abord c'est sûr il me ferait payer mon silence, le fait d'avoir été si peu présent, si maladroit au sortir de son divorce, on en viendrait à parler de lui, ça partirait dans le mélodrame. Élisabeth, c'est déjà si peu clair entre nous, on se voit de temps en temps pour prendre un verre, le soir, on parle généralement du boulot, sauf quand on sort un peu du cadre. Quant à Élisabeth 2, celle que je tutoie, c'est une stagiaire[113] serviable du service en bas, on s'était échangé nos numéros un soir qu'elle avait profité de mon taxi, sans équivoque[114] vraiment, ou alors un peu, je ne sais plus, en tout cas on ne s'est jamais appelés. Élodie c'est quelqu'un auquel je n'ai jamais rien compris. Éric, tu es perdu Éric, d'ailleurs je ne vois là qu'un prénom, alors que des Éric j'en connais plusieurs, je ne sais même plus auquel fait référence ce numéro, c'est un Éric global, ce qui serait drôle par contre, ce serait d'appeler pour voir, sans savoir lequel répondra vraiment, c'est

---

113. Stagiaire (n.) : *Personne qui fait un travail temporaire pour apprendre le métier.*
114. Sans équivoque (adv.) : *Sans ambiguïté.*

vrai que ce serait drôle, mais là ce soir je n'ai pas le cœur à ça[115], ou alors il faudrait masquer mon numéro ? Quel intérêt ? Pour lui aucun, et pour moi, l'espoir bien mince de faire une découverte, de tomber sur la bonne pioche[116], le Éric auquel je ne pense plus, le Éric miraculeux qui serait prêt à prendre de mes nouvelles. Non, des Éric il y en a plein le silence, ou alors oui, celui-là, Éric bien sûr, oui c'est sûrement ça, lui par contre c'est un homme à l'écoute, lui c'est l'assurance d'une âme souveraine, un type qui serait même prêt à me dépanner[117] de mille euros si vraiment c'était ça le problème, Éric mon ami, mon frère de cœur, toi qu'es parti vivre là-bas, du côté des dunes et de la terre à vignes, dans une campagne résolument de campagne, bon sang, on s'est totalement perdus de vue toi et moi, amer constat de ce que la distance tout de même sépare. Pourtant je suis sûr que même après toutes ces années,

---

115. Avoir le cœur à (expr.) : *Avoir envie de.*
116. Bonne pioche : *Ici, la bonne personne, la personne qu'il faut.*
117. Dépanner (v.) : *Tirer quelqu'un de l'embarras. Ici, prêter de l'argent.*

toi, tu écouterais, que tu saurais même trouver les mots, t'en manques pas de mots, t'en as même plein ton sourire, un sourire reposant comme une plage de printemps, de celles vers lesquelles t'habites à présent. Mais bon, après tout, qui me dit que c'est bien toi, le Éric qui se cache derrière ces dix chiffres-là ? Avec Ève on s'est servi de nos corps, et le temps qu'on se sera servi de nos corps on se servait beaucoup de nos numéros, vingt fois par jour, entre les appels et les textos, c'était trop, souvent pour se dire n'importe quoi, s'envoyer des mots crus[118], s'échanger nos envies d'être à poil[119], fixer l'heure et l'endroit, parce que ça changeait toujours, ça faisait partie du jeu. Avec Fabienne on ne sera jamais allés jusque-là. Me mettre à parler de moi avec Florent serait parfaitement malvenu, c'est mon frère, au sens génétique s'entend, autant dire que de toute la liste c'est sûrement celui qui me connaît le moins. Quant à France elle me connaît bien, mais elle est en Chine depuis deux ans, mes jours tombent

---

118. Cru (adj.) : *Direct, à connotation sexuelle.*
119. À poil (expr.) : *Nu.* (fam.)

en pleine nuit, mes soirs se perdent dans ses matins. En appuyant sur la molette[120] je fais défiler les incertitudes, Françoise, Frédéric, Frédérique, Georges F, Georges G, Gildas, Gilles, Guy, Héléna, Hélène, Hervé, Hugette, pas moins de trois Jean-Pierre, Jean-François, Juliette, Luc, Lucie, je débranche le téléphone de la prise et vais m'asseoir sur le lit, et c'est là qu'à ma grande stupéfaction, à la lettre M, je tombe sur moi. L'entrée Moi, celle à laquelle j'ai enregistré mon propre numéro, au cas où, si un jour je ne l'avais plus en tête au moment où on me le demande, mon numéro, ça peut arriver, souvent c'est même le sien qu'on connaît le moins, c'est vrai, on ne s'appelle jamais dans le fond, alors si j'essayais, pour voir ce qui se passe quand on m'appelle… Sans même un bout de sonnerie je tombe directement sur mon répondeur, ça fait drôle de tomber sur ma voix, « Bonjour, je ne suis pas là pour l'instant, merci de me laisser un message et je vous rappellerai. » Tu parles…

---

120. Molette (n.f.) : *Ici, partie du téléphone sur laquelle on appuie pour faire défiler les contacts.*

Et là une voix impersonnelle enchaîne. « Après votre message, vous pourrez le modifier en tapant 1. » Après le bip je marque un temps, et là que dire, c'est idiot, alors comme ça, pour jouer le jeu, plutôt hésitant, je laisse un message, « Bonjour, j'appelais pour prendre de tes nouvelles… savoir comment, ça allait… j'espère que tout va bien… » Là-dessus je marque un blanc[121] terrible, je vais pour dire au revoir mais le bip conclut pour moi, je me raccroche au nez. Ce n'est pas simple de se laisser un message à soi-même, c'est intimidant, rien n'est plus intimidant que de se parler à soi, les mots ne viennent pas, on fait des silences, on n'ose pas, on se sent tout bête, alors que dans le fond où est le mal. Tout à l'heure je reprendrai la liste, je passerai du côté des N, on ne sait jamais, des O je n'en ai pas, à P il y aura mes parents, on verra, en attendant je mets le téléphone dans ma poche, même pas rechargé je le garde sur moi, c'est une manie[122], de l'avoir toujours sur moi. Je passe dans la cuisine pour voir à quel

---

121. Blanc (n.m.) : *Ici, un silence.*
122. Manie (n.f.) : *Habitude exagérée, presque obsessionnelle.*

point je n'ai pas envie de faire à manger, dans le frigo qu'est-ce qu'il y a, pas grand-chose, rien de léger, faute de mieux je sors la bouteille de rosé, et c'est là que d'un coup je sens que ça vibre, oui dans ma poche ça se met à vibrer avant de sonner.

C'est la messagerie.

Sur le coup je n'y pense pas. J'écoute le message tout de même, après quoi on me donne le choix de le sauvegarder[123] ou pas. Décidément, je n'aime pas ma voix.

---

123. Sauvegarder (v.) : *Enregistrer*.

L'amour de loin

Bonjour Fanny, je suis enchanté de te connaître, tellement ravi de passer au tutoiement[124]. Je ne savais pas que tu aimais les chats, visiblement tu en as plusieurs, ah, très bien, trois chats, et un enfant aussi, mais c'est une bonne nouvelle, en même temps, vu son âge, tu dois l'avoir depuis peu de temps, non je parle de l'enfant, bien, écoute, je suis tellement content pour toi. Un jour on se parlera plus longuement, on se racontera ce qu'on fait l'un et l'autre dans la vie, on se dira tout ça, mais là je vois que tu as à faire, avec tous ces chats, d'ailleurs il y en a deux qui n'arrêtent pas de te

---

124. Tutoiement (n.m.) : *Fait de se dire « tu » (et non pas « vous »).*

monter dessus, de grimper jusqu'à ton épaule, et depuis la chambre au fond j'entends même le petit qui commence de chialer[125], il a faim sûrement lui aussi, alors si ça t'arrange on se revoit demain, sans problème, ce sera plus simple, on se dira tout ça demain, en plus demain c'est dimanche, ça tombe bien, ça sera plus calme. À demain alors. Oui, pardonnez-moi Barbara, je ne vous dérange pas longtemps, je voulais juste vous dire que vous avez des cheveux si blonds, si bouclés, que c'en était presque un paradoxe de s'appeler Barbara. Je ne sais pas pourquoi j'imaginais que toutes les Barbara étaient brunes, aux cheveux lissés, à cause de la chanteuse sans doute, une lointaine réminiscence de ses atmosphères soufrées[126], de ses chansons inquiètes. Non ce n'est pas un reproche que je vous fais, c'est juste un compliment, comment vous dire ça, en fait je n'arrive pas vraiment à vous dire que vous êtes jolie, parce que ce serait un peu faire comme tout le

---

125. Chialer (v.) : *Pleurer.* (fam.)
126. Soufré (adj.) : *Qui sent le soufre, c'est-à-dire, ici, un peu inquiétant, sombre.*

monde, et que ça je ne le veux pas, faire comme tout le monde, j'imagine qu'il y en a tellement qui sont là à vos pieds, à vous dire que vous êtes splendide, blonde et bien peignée[127], non Barbara, n'attendez pas de moi ce genre de commentaires, non, et dites-vous bien que ce qui me plaît le plus chez vous, pour tout dire, ce qui m'a fait aller vers vous, c'est votre façon de vous présenter, cette manière de dire tant de choses en si peu de mots, de vous révéler sans être bavarde, d'avouer d'emblée[128] comme ça votre fragilité, ce besoin permanent que vous avez d'être rassurée, vous n'imaginez pas à quel point tout cela m'a ému, tout cela m'a plu, oui vraiment. Voyez-vous Barbara, puisque maintenant on se parle droit dans les yeux, ce qui me touche réellement chez une femme, ce n'est pas tant ses cheveux, ce n'est pas non plus son corps ni sa façon de croiser les jambes, non, ce qui me touche le plus chez une femme, c'est la sincérité du besoin de ressentir une présence, une présence amie, c'est cette fragilité justement, cette

---

127. Peigné (adj.) : *Coiffé.*
128. D'emblée (loc. adv.) : *Tout de suite.*

honnêteté de dire *Eh bien non vous voyez, dans le fond je ne suis pas si forte que j'en ai l'air, je suis fragile, je suis un peu perdue...* J'ai été ému aux larmes, vous savez, quand j'ai relu cette présentation de vous. Non, non ne riez pas Barbara, je vous vois sourire là, dans la caméra, mais c'est vrai. D'ailleurs je pense sincèrement qu'un homme ne se sent jamais aussi *homme* que quand il est dans la position de protéger quelqu'un, oui, c'est probablement une question d'atavisme[129], on a ça dans les gènes[130], l'instinct de protection. En tout cas moi, Barbara, je suis comme ça, et le fait que vous veniez juste de quitter votre ami, votre compagnon comme vous l'appelez, le fait que vous cherchiez un nouveau travail en ce moment, tout cela vous fragilise bien sûr, mais dans le fond tout cela vous rend plus touchante[131], plus belle encore. Écoutez Barbara, on ne va pas se raconter d'histoire, mais sachez juste que je suis là pas

---

129. Atavisme (n.m.) : *Héritage du passé, prédétermination génétique.*
130. Gène (n.m.) : *Partie du chromosome qui conditionne une caractéristique.*
131. Touchant (adj.) : *Émouvant.*

loin, à peine à six cents kilomètres, je suis là quelque part, tenez la preuve, regardez, je vous tends un baiser... comme ça. Vous tendez la joue, comme c'est mignon ce petit tatouage que vous avez dans le cou, ah c'est un grain de beauté[132], pardon, c'est encore mieux... Dites, Barbara, vous prévoyez de passer par Chalon un de ces jours ? Non, ce n'est pas dans vos projets, c'est dommage... bon je vous laisse Barbara, vous avez sûrement plein de courses à faire pour la semaine, et oui le samedi on sait ce que c'est. Il y en a des choses à faire le samedi. Tout ce qu'on ne fait pas la semaine, on le fait le samedi. Et oui, pour moi qui vis seul c'est pareil, il faut bien que je m'organise, le samedi je remplis le chariot. Alors c'est promis, si un jour vous passez par Chalon... Non, Barbara, comme vous y allez, Chalon-sur-Saône seulement, pas en Champagne, Chalon-sur-Saône... Mais c'est juré, si un jour vous venez, pour marquer le coup[133] j'achèterai

---

132. Grain de beauté (n.m.) : *Tache sombre (pigmentée) de la peau.*
133. Marquer le coup (expr.) : *Souligner l'importance de quelque chose, fêter l'événement.*

une petite bouteille de champagne, oui Barbara, vous aurez droit à votre petite coupe, c'est promis, allez, grosses bises… Mon Dieu, Frida, depuis le temps qu'on se croise, depuis le temps que je vois votre photo sur le site, merci de m'envoyer une *request*… On s'était perdus de vue tous les deux, ben oui, c'est dommage, parfois on se met à parler avec quelqu'un, et après hop, il disparaît. On en était où tous les deux ? Moi je vous aime bien en tout cas. Vous étiez partie où depuis tout ce temps, pardon, on se tutoyait ? Ah très bien. Alors ça fait quatre jours au moins que je ne t'ai pas vue. Dis-moi, tu as changé de webcam, ça se voit tout de suite, ah oui, le modèle que tu avais avant arrondissait tout, elle écrasait un peu, je peux te le dire maintenant que tu ne l'as plus, mais quand tu t'approchais trop près de l'objectif ça faisait un drôle d'effet, on avait l'impression d'une carpe[134] au travers d'un aquarium… oui je sais, on ne met pas les carpes dans les aquariums, je te reconnais bien là, ton sacré

---

134. Carpe (n.f.) : *Gros poisson d'eau douce.*

caractère ! Ah toi, tu n'es pas le genre de femme à s'en laisser conter[135], et c'est d'ailleurs ça qui me plaisait chez toi, et qui me plaît toujours en fait, c'est cette façon de dire clairement les choses, d'être cash, solide, toi Frida, t'es vraiment le genre de femmes qui me fait rêver. Oui Frida, je te l'ai dit déjà, mais des filles comme toi, c'est simple, on n'en trouve pas, des filles avec ce tempérament[136], cette énergie, c'est rare. C'est bien simple, sur le site, on ne voit jamais que des rêveuses ou des illuminées[137], des gamines[138] qui croient au prince charmant, ou alors des filles qui ont des tas de problèmes, des gens un peu perdus quoi… tu parles d'une corvée[139]. Non, avec toi au moins les choses sont claires. Hein ? Mais quand tu veux, je te l'ai déjà dit. Seulement, ce serait mieux que ce soit toi qui viennes, je t'assure, tu verrais, je suis

---

135. Ne pas s'en laisser conter (expr.) : *ne pas se laisser raconter des histoires, ne pas être naïf.*
136. Tempérament (n.m.) : *Ici, force de caractère, forte personnalité.*
137. Illuminée (n.f.) : *Ici, sous-entendu personne un peu folle, à côté de la réalité.*
138. Gamine (n.f.) : *Petite fille. Ici, femme immature.*
139. Corvée (n.f.) : *Tâche (chose à faire) pénible, désagréable.*

bien installé, un petit pavillon dans la banlieue de Chalon, non, sur-Saône seulement, dans mon jardin on entend même les oiseaux, et le train qui passe au bout, le clocher[140], c'est quasiment[141] la campagne ici. Oui, mais je sais bien que Rennes est une ville, comment dire, une ville super, bien sûr que je connais Rennes, mais vois-tu, je n'ai pas spécialement prévu d'y aller ces temps-ci, du moins pas dans les mois qui viennent. Mais oui franchement, ça serait bien de se voir pour de vrai, mais regardons les choses en face, Rennes c'est carrément de l'autre côté de la France, ou alors il faudrait qu'on se retrouve à mi-chemin, à Paris quoi. Eh bien pourquoi pas ? On se prendrait un petit hôtel pas trop cher… je veux dire, on se prendrait un hôtel, bien, et on se ferait un petit week-end en amoureux. Hein ? Comment ça, on se connaît pas assez ? Tu rigoles[142], ça fait au moins trois fois qu'on se parle. Et puis physiquement tu me vois, regarde, tu me vois

---

140. Clocher (n.m.) : *Partie d'une église où se trouvent les cloches.*
141. Quasiment (adv.) : *Presque.*
142. Rigoler (v.) : *Rire* (fam.). *Ici, tu rigoles = tu plaisantes.*

là, hein, en plus t'en connais beaucoup des types qui ont une aussi bonne caméra, une telle qualité de définition, crois-moi des images comme ça t'en trouveras pas beaucoup. Hein, tu trouves que Paris n'est pas à mi-chemin ? Alors qu'est-ce que tu proposes, Laval ? Bof. Le Mans plutôt. C'est sûr qu'au niveau hôtel ce sera moins, enfin, ça nous fera un week-end plus raisonnable qu'à Paris, mais bon, je ne suis pas sûr que ce sera charmant Le Mans. Sinon, on se prendra un hôtel juste à côté de la gare, ça nous évitera d'avoir à louer une voiture, hein, Frida, mais Frida, ne coupe pas la connexion comme ça, tu sais que c'est mal perçu[143] sur le site, qu'on peut signaler les comportements douteux[144] ou malpolis. Non, mais attends Frida, laisse-moi réfléchir, je pourrais faire un effort, d'accord pour venir à Rennes à condition que tu m'héberges[145], hein, dis, Frida, attends, reviens… Ah tiens, Isa, Isa qui me

---

143. C'est mal perçu (expr.) : *Ce n'est pas apprécié.*
144. Comportement douteux : *Comportement non approprié, non adapté à la situation, au contexte.*
145. Héberger (v.) : *Accueillir chez soi, loger.*

relance[146]. Mais c'est qui déjà cette Isa... En plus elle m'appelle Toinou, c'est qu'elle me connaît bien sûrement, pour savoir le petit nom que me donnaient mes parents... Oui, Isa, bon sang, Isa, oui, Isa, bonsoir ma belle, bonjour pardon, mais ça alors quelle surprise... Mais comment, mais bien sûr que ça me fait plaisir que tu me recontactes. Je m'inquiétais un peu, et pourtant Dieu sait que je ne suis pas d'un naturel inquiet. Ah oui ? Je t'avais promis de t'envoyer un poème, mais qu'est-ce que tu veux, en ce moment, je ne me connecte pas souvent, je n'ai pas trop le temps, et puis je n'ai pas l'âme à la rime[147], j'ai la prose inquiète. Et toi comment ça va, ta petite famille ? Ah oui c'est vrai tu viens de perdre ton ; pardon. Non, je voulais dire, comment ça va dans l'ensemble ? Pourtant tu m'avais bien dit que t'avais des enfants, ah oui tu as raison, en fait je vois en relisant ton profil que tu voulais des enfants, tu veux en avoir en fait, pardon, j'ai mélangé. Mais je le

146. Relancer (v.) : *Contacter à nouveau*.
147. Je n'ai pas l'âme à la rime : *Je ne suis pas d'humeur à écrire des poèmes*.

sais bien que tu n'as pas d'enfant voyons, c'était juste une formule, comment va ta petite famille, une formule quoi. Mais pourquoi tu le prends mal. Il n'y a vraiment pas de quoi. Bon c'est ça, à une autre fois, c'est ça, je révise mes fiches[148], t'as raison…

Ah vraiment, on peut le dire, le Net est une grande famille. C'est beau, on se demande des nouvelles les uns des autres, on se perd jamais vraiment de vue, on se zappe[149] un peu de temps en temps c'est vrai, on est tous là avec nos cœurs d'artichaut[150], une feuille pour chacun, on se donne tous en avant-goût, quant à l'amour, l'amour pour de vrai, on le ferait volontiers, ne serait-ce ces contingences géographiques[151] on se verrait, seulement la

---

148. Je révise mes fiches : *Ici, je relis les informations sur les profils de mes contacts.*
149. Zapper (v.) : *Passer d'une chaîne à une autre chaîne (télévision) ou plus généralement d'une chose à une autre.* Zapper quelqu'un : *Oublier quelqu'un.* (fam.)
150. Avoir un cœur d'artichaut (expr.) : *Être très sensible, émotif. Avoir le cœur tendre mais inconstant.* (fam.)
151. Contingences géographiques : *Limites, réalités matérielles de la géographie.*

France est un grand pays, qui s'en plaindrait, mais toutes ces distances n'arrangent rien. Tiens voilà Elsa qui remet ça avec ses poèmes et ses textes de chansons, elle m'écrit tout en poèmes celle-là, au moins ça fait des courriers pas trop longs à lire, et rimés, ça va plus vite à lire les courriers rimés, le seul problème c'est qu'elle habite Marseille. Et moi Chalon. Sur-Saône seulement.

Si c'est pas de l'amour

Dans ta chambre ça se voit que le temps s'est arrêté, qu'il a arrêté quelque chose en toi, malgré toute cette électronique qu'est là à te fabriquer du temps, les heures virent à l'abstrait, les minutes passent au goutte à goutte[152]. Quand on a perdu jusqu'à l'envie de se détruire, c'est que vraiment on n'a plus rien. Tu le sais bien toi, l'ami, l'inconnu, toi qu'es là, encore plus calme que ton oreiller, encore plus endormi. Faut dire aussi qu'ils t'en ont foutu partout, des fils, des tubes, et même une machine pour que tu respires, on te retient par tous les bouts, t'es plus qu'une marionnette[153]

---

152. Au goutte à goutte : *Une goutte après l'autre, très lentement.*
153. Marionnette (n.f.) : *Sorte de poupée que l'on peut faire bouger soit directement avec la main, soit avec des fils.*

suspendue au-dessus d'un sommeil total. La vie bon Dieu, t'avais l'air de la chercher comme un chien, tu te raccrochais avec une force inouïe[154], cette force qu'il faut parfois tout simplement pour se soulever de son oreiller, une rage que tu arrachais dans un sourire et que tu m'auras communiquée, toi l'ami de trois semaines, trois semaines seulement dans une vie. À un détail près on aurait pu nous prendre pour deux frères. Mais à un détail près on ne le pouvait pas.

Ça fait drôle que tu ne sois plus là, enfin si, t'es toujours là, mais de moins en moins, plus vraiment, c'est pas clair, t'as l'air barré[155] dans on ne sait quel potage[156], toi qui me parlais toujours en me regardant droit dans les yeux, là maintenant, c'est en toi que tu dois flotter, je sais même pas si tu m'entends, s'il te reste des idées, des sensations, je me demande bien si tu ressens quoi que ce soit, on ne sait pas, il paraît

---

154. Inouï (adj.) : *Incroyable, extraordinaire.*
155. Barré (adj.) : *Parti.* (fam.)
156. Dans on ne sait quel potage : *Ici, dans une sorte de brouillard, dans un univers confus, peu clair.*

juste qu'il faudrait continuer à te parler, comme à un mur, jusqu'à ce qu'il entende.

On ne se connaît pas et pourtant t'auras compté pour moi, au départ t'étais rien, il y a deux mois de ça t'étais rien, même pas une connaissance, même pas un collègue ni un proche, t'étais même pas de ma famille ou de mes relations, t'étais personne. En tout on se sera fréquentés quoi, vingt-deux jours, et pourtant dans ces vingt-deux jours-là on se sera tout dit. Faut dire aussi, on n'avait que ça à faire, causer[157], on se faisait un bien fou à se parler comme ça, le matin tu me refilais[158] tes biscottes, t'avais pas droit au sucre, au beurre non plus, même pas vraiment au café, déjà en fait, t'étais plutôt mal parti, mais jamais, jamais je n'ai senti que tu m'enviais, jamais je n'ai senti ça chez toi, alors qu'on le savait bien, mon séjour à moi serait moins compliqué que le tien, moins incertain. De savoir qu'on est malades en même temps ça crée des liens, toutes ces différences qu'on aurait pu

157. Causer (v.) : *Parler, discuter.* (fam.)
158. Refiler (v.) : *Donner, passer.* (fam.)

supposer, on ne les supposait pas. Au-delà des mots on faisait corps. On prévoyait pour moi l'intervention classique, un genre d'entaille[159] à même l'organe[160], tandis que toi t'allais vers des termes problématiques, des tentatives sophistiquées, quand il t'en parlait, le sourire du médecin n'était que dans sa voix. À notre petit niveau on ne comprenait pas bien, pourtant être malade c'est apprendre plein de mots nouveaux, c'est déchiffrer[161] son sang, lire ses organes, c'est chercher du sens sur tout ce qui allait de soi, mais là, dans ton cas, comprendre ne suffisait pas. On décortiquait[162] tes résultats comme des mots croisés[163], mais d'examen en examen tu perdais le goût des mots croisés, t'avais le regard qui dormait sur la feuille.

En tout, on aura passé vingt-deux jours dans ces mêmes mètres carrés, vingt-deux jours et autant de nuits à se vivre dans l'identité de ce

159. Entaille (n.f.) : *Coupure, ouverture.*
160. À même l'organe : *Directement dans l'organe.*
161. Déchiffrer (v.) : *Lire avec difficulté. Ici, parvenir à comprendre.*
162. Décortiquer (v.) : *Analyser dans tous ses détails.* (fam.)
163. Mots croisés : *Jeu qui consiste à trouver des mots à partir de définitions.*

numéro de chambre, à se revendiquer de cette entité-là[164], la 422, tu te rends compte, à force on en ressentait presque un esprit de corps, une sorte de fraternité, dans le fond, on n'était plus que ça, des corps prêts à guérir, des corps qui ne voulaient rien d'autre que retrouver le goût de rire, de marcher, de se lever d'abord, mettre les chaussons l'un après l'autre, oui mettre les deux pieds dans les chaussons, elle était là la vraie conquête, d'arriver au moins à remettre les chaussons, et, à partir de là, se lever, redresser sa petite flamme dans le monde, s'essayer d'abord dans les couloirs, debout… Mais se lever déjà on ne le pouvait pas, alors les chaussons n'en parlons pas, on nous les avait même enlevés, rangés dans le bas du placard, c'est pas rien comme indice[165], quand on ne te met même plus de chaussons au bas du lit, qu'on présume[166] même pas que tu te relèveras. C'est pourquoi de les avoir là au pied du lit, les chaussons, en soi ç'aurait été une victoire, une

---

164. Entité (n.f.) : *Concept, idée. Ici le numéro de la chambre matérialise leur existence.*
165. Indice (n.m.) : *Signe qui aide à deviner quelque chose.*
166. Présumer (v.) : *Supposer.*

promesse, d'ailleurs on savait bien que le jour où on nous les rendrait, le matin où on nous parlerait de les remettre, ce serait comme un triomphe, une explosion de joie, tu te rends compte, on en était là… Dès six heures du matin on s'échangeait nos performances[167], sans rivalité on comparait nos chiffres. Si on n'avait pas de fièvre et une bonne tension, ça nous suffisait pour dire que la journée serait favorable, les infirmières nous parlaient un peu comme à des enfants, dans leur intonation[168] il y avait des précautions qu'on n'avait pas ressenties depuis la crèche[169], en retour nous-mêmes on se mettait à leur parler comme des braves mômes[170], dites mademoiselle, vous ne pourriez pas me remonter un peu l'oreiller, oui jusque-là, et à lui aussi, et nous mettre la télé, oui, pas trop fort, merci… On a beau dire mais elles étaient bien humaines les infirmières, elles étaient la vie, elles nous plantaient leur santé

---

167. Performance (n.f.) : *Exploit (en général sportif)*.
168. Intonation (n.f.) : *Manière de prononcer, ton*.
169. Crèche (n.f.) : *Lieu de garde pour les petits enfants*.
170. Môme (n.m.) : *Enfant*. (fam.)

sans arrogance[171], pourtant secrètement on les enviait, parce qu'elles étaient du bon côté des choses, elles étaient du côté de ceux qui ressortent le soir de cet univers tout de blanc et de bleu, elles étaient de ceux qui allaient se confondre à la foule des transports en commun, qui avaient la chance de marcher sous la pluie, d'attendre un bus, de porter des courses, quitte à mettre plus d'une heure pour rentrer chez elles dans le froid, pour ces simples raisons-là elles étaient du côté de la chance, de ceux qui vont bien, oui c'est ça, de ceux qui vont.

Toi et moi on pouvait se taire une journée entière, endormis à moitié, sinon on se donnait des détails sur les examens qu'on allait passer, on se rassurait en se disant que les médecins d'ici étaient les meilleurs, qu'on était même dans l'hôpital le mieux noté, on était fiers de ça, d'être malades mais dans le meilleur hôpital. Fallait qu'on s'aime vraiment pour partager la même petite piaule[172], ne plus souffrir des odeurs de l'autre, de se voir le corps, tout en

---

171. Arrogance (n.f.) : *Orgueil, prétention.*
172. Piaule (n.f.) : *Chambre.* (fam.)

ressentir, tout entendre des mots des médecins, intimes au point de garder toujours un œil sur l'autre, dans le fond, le jour où je suis remonté de la salle d'opération, c'est dans ton regard que j'ai vu en premier que le monde était toujours bien là, tu m'avais même dégoté[173] un de ces sourires, un sourire qui venait de loin, au-delà de ta souffrance, un soleil qui se serait pas levé depuis des lunes. T'avais rien dit, tu faisais même signe de ne surtout pas parler, je me le rappelle, t'attendais même pas de moi que je fasse l'effort de faire un clin d'œil[174], tu le savais ce que c'était, de sortir d'une opération, t'en avais tellement eu depuis deux mois. Non, t'avais juste fait un signe du regard, des yeux t'avais désigné les stores[175], pour savoir si la lumière du dehors ne me dérangeait pas, sans quoi t'aurais sonné, t'aurais demandé de les baisser, tu te serais plongé dans la pénombre[176], t'aurais pas hésité à sacrifier ce franc soleil

---

173. Dégoter (v.) : *Trouver.* (fam.)
174. Clin d'œil (n.m.) : *On ferme puis on ouvre un œil pour faire un signe à quelqu'un (en général de complicité).*
175. Store (n.m.) : *Rideau qui se baisse et se lève devant une fenêtre.*
176. Pénombre (n.f.) : *Obscurité.*

de plein hiver, alors que c'était sûrement une des plus belles journées qu'on avait eue depuis longtemps.

Entre toi et moi tout se passait bien. Dans le fond ça nous arrangeait que ce soit l'hiver, on était moins jaloux du dehors, on se disait tout le temps qu'il faisait froid, que dehors il faisait moche, on se trouvait les compensations[177] qu'on pouvait. Le soleil baissait à cinq heures, la nuit nous faisait chaque soir ce cadeau-là, de se dépêcher, les jours sombraient histoire de ne pas être blessants. C'est tout un monde qu'on avait là à portée de main[178], on avait tous les instruments de notre mal, tous les indices de notre douleur, on était dans notre déveine[179] comme dans un cockpit[180], de là on contrôlait tout, on abordait la nuit avec tous les instruments de contrôle, tout autour de nos têtes ça faisait des bips et des lumières rouges et bleues, on ne s'endormait jamais vraiment, on veillait

---

177. Compensation (n.f.) : *Ici, consolation, raison de ne pas être trop malheureux.*
178. À portée de main (expr.) : *Tout près, qu'on peut atteindre.*
179. Déveine (n.f.) : *Malchance.*
180. Cockpit (n.m.) : *Partie d'un avion ou d'une voiture de course où est installé le pilote.*

en regardant un programme à deux, le sommeil venait par séquences, ça hachait[181] le film, du coup, au film comme au reste, on en venait à ne plus rien comprendre. On était abrutis[182] sans doute, par tous les médicaments pris, et cette pesanteur de l'air dans les hôpitaux qui fait qu'on a toujours trop chaud, qu'on se respire en dedans. À force tout de même on s'endormait, ce n'est pas si sûr, disons que parfois il y en a un des deux qui piquait du nez[183], comme si inconsciemment il s'agissait d'une relève[184], comme si c'était chacun notre tour de prendre son quart[185], on donnait dans le sommeil avec une prudence suspecte, en même temps la nuit dans un hôpital est un genre de trêve[186], une grande mi-temps où plus rien ne se joue, la partie est suspendue, tout de même, je te jetais un œil par moments, la peur surnageait[187] au-

---

181. Hacher (v.) : *Couper.*
182. Abruti (adj.) : *Rendu stupide ou sans réaction.*
183. Piquer du nez (expr.) : *S'endormir.*
184. Relève (n.f.) : *Personne qui vient en remplacer une autre (pour monter la garde par exemple).*
185. Prendre son quart (expr.) : *Prendre son tour de garde.*
186. Trêve (n.f.) : *Pause.*
187. Surnager (v.) : *Survivre, rester présent.*

dessus des anxiolytiques[188]. Nos nuits avaient des textures bizarres, on se veillait comme personne, seules nos mères peut-être avaient dû nous veiller comme ça, les premiers jours, quand elles craignaient plus ou moins que la vie parte. Pour le reste toi et moi on faisait corps, nos deux lits à deux mètres l'un de l'autre, le moral en partance et nos pantoufles qui nous attendaient dans nos placards.

Et un beau matin on m'a remis les chaussons au bas du lit, un soir d'ailleurs, l'infirmier les a sortis du placard et les a posés là, au cas où j'aie envie d'aller à la salle de bains. Vis-à-vis de toi c'était d'une cruauté totale, d'un coup je me désolidarisais[189], mais dans tes yeux ce jour-là il n'y avait rien d'autre qu'une profonde satisfaction, et un signe d'encouragement, pourtant j'aurais préféré être de dos, ne pas me lever face à toi, mais non, tu souriais, tu me regardais comme un père qui voit son môme faire ses premiers pas, ou comme un fils qui remet

---

188. Anxiolytique (n.m.) : *Médicament pour lutter contre l'anxiété.*
189. Se désolidariser (v.) : *Prendre ses distances, ne plus être solidaire.*

son père debout, je ne sais pas, en tout cas, ce que j'ai vu d'amour dans ton regard à cet instant, cette force que j'ai ressentie, qu'était là à me pousser, cette tendresse, c'est sûrement le regard qui m'a le plus touché depuis longtemps.

Là je suis venu en visiteur, je te regarde, on dirait que tu te fous de tout, que t'es plus là. Ta famille, tu n'en parlais pas, je ne t'ai jamais trop cherché sur le sujet, on évitait de se remuer avec ça, tu disais juste qu'ils étaient tous là-bas, que tu n'avais pas envie de les revoir, pas comme ça, est-ce qu'ils comptaient sur toi pour venir, je ne sais pas. Moi, de mon côté, je vis seul. Le résultat était le même. Au moins je n'inquiétais personne. C'est l'avantage. Vivre seul c'est n'inquiéter personne. C'est jeudi tu vois, je suis venu mardi, hier je n'ai pas pu, c'est vrai que c'est pas commode[190] pour venir ici, une heure et quart de trajet, c'est loin de tout. Mardi soir, je t'avais mis les chaussons de ce côté-là, alors que d'habitude je te les mets vers

---

190. Commode (adj.) : *Facile, simple, pratique.*

la porte, sur ta gauche, de l'autre côté du lit. Aujourd'hui évidemment ils n'y sont plus, ne t'en fais pas, je te les remettrai en partant, mais du côté droit cette fois, celui qui m'avait porté chance, puisque je suis debout. Depuis mon départ le lit d'à côté est resté vide, visiblement ils ne comptent pas y remettre quelqu'un, ils l'ont repoussé vers la fenêtre, un plastique sur le matelas, plus d'oreiller, plus de table de nuit, rien. C'est sûrement qu'ils estiment[191] que tu n'as pas à être dérangé par qui que ce soit. Depuis quinze jours ils parlent de te changer de chambre, et puis finalement non, t'es toujours là, chez nous, ça nous épargne[192] la sensation d'être mis au rebut[193]. Tes chaussons je suis obligé de les ressortir chaque fois, et à chaque fois ils te les remettent dans le placard. Bon, je vais te les ressortir avant de m'en aller, bien sûr, j'aurais mieux aimé être là quand tu te lèveras, te voir te lever devant moi, c'est sûr que ça m'aurait fait plaisir, mais après tout ce

191. Estimer (v.) : *Juger, penser.*
192. Épargner (v.) : *Éviter.*
193. Mettre au rebut (expr.) : *Mettre à l'écart, exclure.*

n'est pas grave, que je ne sois pas là, l'essentiel c'est bien que tes chaussons y soient. Comme tu disais tard dans la nuit, quand tu sentais qu'il fallait dormir, quitte à ne pas fermer l'œil, quitte à rester à ressasser[194], mais chacun pour soi. *Mangi dem*. Je n'ai jamais bien su si ça voulait dire *Au revoir*, ou *Je m'en vais*. C'est du wolof[195], je crois. Depuis j'ai cherché. En fait, ça veut dire les deux.

Alors, à toi de voir.

Le sens que tu y mets.

Mangi dem.

---

194. Ressasser (v.) : *Penser tout le temps aux mêmes choses.*
195. Wolof (n.m.) : *Langue parlée en Afrique de l'Ouest, notamment au Sénégal et en Gambie.*

Demain on sera jeune

Oui, puisque ce soir on en parle, puisque ce soir tu me le demandes sans détour, je serais même prêt à aller jusque-là, à faire ça pour toi, tu as l'air de tellement y tenir, ça a l'air si important pour toi, alors si ça peut te faire plaisir pas d'état d'âme, je te suivrai, je ferai ce que tu me diras. Toi de ton côté tu t'engages à changer deux ou trois petites choses aussi, tu me promets ça, alors que moi dans le fond, je ne te demandais rien, notre vie m'allait bien. Après tout qu'est-ce qu'on risque ? Rien sûrement. Sinon de s'aimer davantage. Après tout c'est fait pour ça. Alors on peut faire l'essai pour voir, à bien y regarder, on en a vu d'autres toi et moi.

Bien sûr ça supposera qu'on change, je veux dire qu'on change pour de vrai, à bien y réfléchir ça aurait presque l'air d'un sacré désaveu[196], non ? Je ne sais pas, le temps fait ce qu'il peut, surtout avec nous.

D'un autre côté on n'a pas à trop se plaindre toi et moi, on ne peut pas dire qu'il nous ait abîmés tant que ça, le temps, on s'en sort bien, ou alors c'est que les dégâts sont toujours plus apparents chez les autres, les autres on les voit vraiment changer, mais soi-même on ne change pas, sauf le soir parfois, au moment de la salle de bains, quand on passe nu devant une glace[197], si on prend le temps de se regarder un peu.

Alors si je comprends bien, après trente ans de vie commune tu veux qu'on cherche encore à se plaire, pourquoi d'un coup ça devient si important pour toi ? Jusque-là tu ne m'avais jamais rien dit ouvertement, on ne s'en était jamais parlé de ça, pourtant l'âge chez moi, ça a

---

196. Désaveu (n.m.) : *Ici, refus d'approuver ce qu'ils ont vécu ensemble.*
197. Glace (n.f.) : *Miroir.*

commencé tôt, je veux dire il y a longtemps, par les cheveux. Mine de rien, jour après jour, repas après repas, voyage après voyage, soirée après soirée, colère après colère, ennui après ennui, il y avait un de mes cheveux quelque part qui en silence tombait, le processus était sournois[198], tu ne disais rien mais tu m'en voulais, c'est sûr, tu m'en voulais d'endommager[199] sans fin le tableau de l'homme encore jeune, pas trop mal fait, que tu t'étais mise un jour à aimer. Quelque part c'était te trahir que de s'effilocher[200] comme ça, de se transformer à ce point. De jour en jour la glace me disait quoi, dans la pénombre de nos ampoules manquantes, elle se jouait de moi à me surprendre, avec un rien d'ironie, elle m'accusait surtout de ne plus trop chercher à me regarder. Je t'avais plu, mais d'une façon générale je ne cherchais plus à plaire, la question ne se posait pas, s'il y a bien une illusion qu'on perd comme ses cheveux,

---

198. Sournois (adj.) : *Qui cache ses véritables intentions.*
Processus sournois : *Ici, la perte d'un cheveu de temps en temps annonce qu'il n'en aura bientôt plus.*
199. Endommager (v.) : *Abîmer.*
200. S'effilocher (v.) : *S'user, s'abîmer peu à peu.*

c'est celle de plaire, à la limite ça va un temps, on y pense un peu, on se dit qu'il faudrait faire quelque chose, ressortir le menton, tuer l'embonpoint[201], et puis voilà, un jour poussant l'autre, on ne pense plus à rien. Les magazines avaient beau me tenter, les reportages à la télé avaient beau faire, je me pensais au-dessus de ça, c'est comme pour ce qui est de fumer ou de boire, c'est comme de ne pas faire de sport, c'est avant tout l'affaire des autres. Ce n'est ni ma faute ni un choix, mais c'est vrai que petit à petit je perdais le goût de cette image qu'on renvoie de soi.

Toi aussi d'une certaine façon je te regardais moins, mais pour peu que je t'observe vraiment, je notais bien quelques petits changements, des coups de fatigue, une sorte de perte d'éclat que je mettais sur le dos des aléas[202], que ce soient les grossesses ou tous ces soucis que la vie invente, les coups de blues[203], les

---

201. Embonpoint (n.m.) : *État d'une personne un peu trop grosse.*
202. Aléa (n.m.) : *Événement (souvent plutôt désagréable), difficulté.*
203. Coup de blues (expr.) : *Petite déprime, accès de tristesse.*

petites maladies, chaque fois on se disait que ça
reviendrait, au bout de six mois ça allait revenir,
la forme, la jeunesse, la sveltesse[204] et les robes à
la taille, et c'est vrai qu'à chaque fois ça revenait,
surtout au retour des vacances, on te trouvait
plus belle encore, plus épanouie[205], toujours
plus belle, plus épanouie... Puis à force, avec
les années, on sera devenu plus fataliste, nos
corps on ne les voyait plus vraiment, on n'allait
plus à la mer, l'été on devenait des touristes de
plus en plus habillés. Il nous est même souvent
arrivé d'aborder le sujet, entre nous ou avec
des amis, au cours d'un dîner on se mettait à
parler de nos coups de vieux[206], de nos coups de
vieux à tous, d'ailleurs on prenait ça à la légère,
plutôt à la rigolade[207], ça venait parfois comme
ça au détour de la conversation, nos amis eux
aussi en parlaient, pour ce qui est des hommes
dans l'ensemble on mettait ça sur le compte

---

204. Sveltesse (n.f.) : *Minceur.*
205. Épanoui (adj.) : *Qui a l'air heureux.*
206. Coup de vieux (expr.) : *Sentiment brusque d'être vieux.*
(fam.)
207. Prendre à la rigolade : *Ne pas prendre au sérieux.*

d'un certain laisser-aller[208], une négligence, on partait du principe que c'était le cours normal des choses, qu'une forme d'épanouissement voulait ça, qu'avec l'âge on prenait une amplitude[209], qu'une envergure se développait en nous, un processus contre lequel on ne luttait pas, l'âge chez les hommes leur conférait du poids, le volume palliait[210] la force.

Pour ce qui est des femmes c'était différent, il y avait toutes sortes de stratagèmes[211] pour contenir le corps, comme si la notion de vigilance[212] allait beaucoup plus de soi, d'ailleurs c'est d'elles que venait la prise de conscience. Chaque fois que le sujet venait sur la table, au cours de ces nombreux repas entre amis, dans un élan général, l'attitude se dessinait plus ou moins de prendre des résolutions, pour se rassurer on se disait qu'on allait

---

208. Laisser-aller (n.m.) : *Négligence, fait de ne pas faire d'effort.*
209. Amplitude (n.f.) : *Largeur (ici, sous-entendu : « on prenait du poids »).*
210. Pallier (v.) : *Compenser, remplacer.*
211. Stratagème (n.m.) : *Ruse, manière de tromper.*
212. Vigilance (n.f.) : *Attention, surveillance.*

se surveiller, éviter le naufrage[213], comme si le vrai problème dans le fond c'était de prendre des formes, quelques rides[214], et non pas de l'âge. On peut vivre des années comme ça, dans l'illusion de sa régénérescence[215]. Et puis vient le jour où ça devient trop flagrant[216], le jour où on en fait une fixation, ça devient un sujet de conversation aussi crucial[217] qu'un changement de vie, un divorce ou un déménagement, d'ailleurs c'est ce qui s'est passé entre nous, un beau jour tu m'as dit que tu avais à me parler, Au nom de notre amour tu disais, Au nom de notre amour tu avais pris tes résolutions, Au nom de notre amour t'avais en tête ton petit miracle qui changerait tout, tu t'étais même renseignée, t'avais pris l'adresse les consignes et la documentation, tu savais les procédures et les prix, tu avais tout anticipé[218], tout. Mais, surtout, ce qui était surprenant ce jour-là, c'est

---

213. Naufrage (n.m.) : *Ici, échec, catastrophe, désastre.*
214. Ride (n.f.) : *Petit pli de la peau, trace laissée par le temps.*
215. Régénérescence (n.f.) : *Reconstitution, renouvellement.*
216. Flagrant (adj.) : *Évident.*
217. Crucial (adj.) : *Critique, délicat, important.*
218. Anticiper (v.) : *Prévoir à l'avance.*

la façon dont tu m'avais présenté les choses, non pas comme un ultimatum[219], mais comme une sorte de cap, de passage définitif vers une nouvelle vie. En somme t'avais en tête de vivre une nouvelle vie, mais toujours avec moi.

En même temps ce fut pour nous l'occasion de découvrir Fribourg. La clinique était sur les bords du lac, elle ressemblait à ces hôtels où on ne va jamais, parce que trop chers finalement. À l'accueil ils ont trouvé ça touchant de nous voir arriver tous les deux, surtout au moment de rentrer en consultation ensemble, pour ainsi dire main dans la main. On était comme des mômes face au Père Noël, toi surtout, tu avais des idées très précises sur ce que tu voulais changer, au niveau des hanches[220], du visage, et des seins, moi dans un premier temps je le regardais faire des dessins au feutre sur ton corps, il te remodelait en ébauchant le

219. Ultimatum (n.m.) : *Dernière proposition faite à quelqu'un avant une action définitive.*
220. Hanche (n.f.) : *Partie du corps où les jambes sont reliées au bassin.*

patron[221], un charmant médecin d'ailleurs, de ces chirurgiens richissimes dont il est naturel qu'ils soient beaux, et compétents, et c'est là que sur moi aussi il s'est mis à faire des plans, avec son assistante ils m'ont sillonné le crâne de pointillés[222], le ventre, et le cou n'en parlons pas. Franchement à ce stade-là je dois te dire, je ne savais plus trop si j'étais complètement dépassé ou complètement con[223].

On nous avait attribué la même chambre, ça tombait bien, on a d'abord défait nos valises, impressionnés tout de même par la beauté de ces murs laqués, ce plafond vermillon[224], et les boiseries en teck de la salle de bains. La différence avec l'hôtel, c'est qu'une fois dans la chambre il a très vite été question de se mettre en pyjama et au lit, pour faire tout un tas de bilans[225]. On a beau dire, mais une clinique rend toujours un peu malade. Ils avaient mis

---

221. En ébauchant le patron : *En dessinant le modèle.*
222. Ils m'ont sillonné le crâne de pointillés : *Ils ont dessiné des lignes en pointillés sur mon crâne.*
223. Con (adj.) : *Stupide, imbécile.* (fam.)
224. Vermillon (adj.) : *Rouge orangé.*
225. Bilan (n.m.) : *Ici, examen médical.*

nos lits en parallèle, on était côte à côte, au début t'avais l'air contente, aussi réjouie que pour un grand départ, c'était comme un jeu, tu racontais je ne sais quoi à propos d'un long week-end qu'on allait faire après, des vacances à la plage, mais pas trop loin, parce que du coup on n'avait plus vraiment de budget, qu'importe, l'essentiel c'était bien de pouvoir se remettre un jour en maillot de bain, tous les deux, et de marcher fièrement le long du rivage, en maillot de bain, tous les deux, de retrouver nos corps, tous les deux, de renouer avec ce goût de l'errance[226], ce sens de l'improvisation, cette totale liberté qui faisait qu'à une époque on pique-niquait dans les criques[227], qu'on partait se baigner avec rien, ni crème ni parasol, ni enfant, rien, à cette époque-là on n'avait rien, sinon nos corps à partager, à la plage c'est tout ce qu'on emmenait, nos corps, le soir aussi, la nuit n'en parlons pas, à longueur de journée

226. Renouer avec ce goût de l'errance : *Retrouver ce plaisir à aller sans but précis.*
227. Crique (n.f.) : *Petite baie, renfoncement dans une côte rocheuse. Souvent une crique abrite une petite plage isolée, tranquille.*

on n'avait que ça à se donner, nos corps, on ne s'en lassait pas, à la limite ça nous suffisait, de les avoir, celui de l'autre au plus près du sien, mon corps pour ressentir le tien, le tien toujours collé au mien. Au début entre nous, ça se passait beaucoup au niveau du corps. Dans ces âges-là pour me sentir à l'aise je n'avais besoin de rien, tout juste un polo, une poche dans mon bermuda, le confort venait de la façon d'être, on était beaux, on peut se le dire maintenant, au point où on en est, on avait la peau à même le sable, nos silhouettes tranchaient la vague, on était beaux.

C'était sans doute l'effet du sédatif[228] mais pendant un long moment on est revenus sur ces images, ces souvenirs de nous deux qui nous revenaient comme des photos, en même temps on se disait que, dès demain, on retrouverait de cette aisance-là, c'est sûr, d'ailleurs on était là pour ça, un jour bientôt on retournera toi et moi à la plage, avec rien d'autre à amener que

---

228. Sédatif (n.m.) : *Médicament pour faire dormir.*

soi. Tu verras. On se prendra par la main et sans chercher à savoir si elle est froide ou pas on plongera…

Et puis le soir est tombé, la nuit s'est confondue au lac, les deux petits néons donnaient à la chambre une lumière bleutée, une ambiance autre s'installait, petit à petit les aspects de la médicalisation t'ont fait un peu douter, ces infirmières qui passaient, les odeurs d'alcool, les prises de sang, et l'idée qui se précisait, ces morceaux de nous qu'on allait nous ôter[229], ces bouts toujours qui allaient nous quitter. Tu te rends compte. Après la soupe légère et un carré de fromagé allégé, tu ne parlais plus ni de plage ni de se baigner. Tu ne parlais plus. Il s'agissait d'une opération tout de même, deux heures d'anesthésie[230], avec salle de réveil, oxygène et tout ça, pour le lendemain. Tu n'étais pas très bien. Alors comme ça, à distance, alors que nos

229. Ôter (v.) : *Enlever.*
230. Anesthésie (n.f.) : *État de sommeil provoqué par un médicament pour pouvoir pratiquer une opération.*

deux lits étaient disjoints[231] de deux mètres, tu m'as simplement demandé de te prendre la main. Et on s'est endormi tous les deux, en se tenant, au-dessus du vide, en rêvant à ces souvenirs qui nous attendaient. Demain on sera jeune, tu verras.

---

231. Disjoint (adj.) : *Séparé.*

Ce soir je rentre

Ce soir je rentre. Ce n'est pas que l'envie de sortir m'ait quitté, c'est juste que le goût de rentrer, pour une fois, était plus fort. Tu disais que ces derniers temps je t'en aurai fait voir, alors qu'en fin de compte t'en voyais quoi de mes histoires, de mes frasques[232], appelle ça comme tu voudras, rien. Moi-même tu ne me voyais pas, non, tout ce que tu savais de moi depuis six mois, c'est que je n'étais pas souvent là, que je rentrais tard, que parfois même je ne rentrais pas. À partir de là tu pouvais tout imaginer, d'ailleurs, les nuits où je découchais[233], tu te doutais bien que je ne dormais pas dehors,

---

232. Frasque (n.f.) : *Acte un peu scandaleux, bêtise, folie.*
233. Découcher (v.) : *Ne pas rentrer dormir à la maison.*

toutes ces fois où je suis rentré à deux heures du matin, tu te doutais bien que je n'avais pas passé la soirée dehors, à rêvasser seul dans le noir, assis sur un banc. Ce soir, t'as eu l'air toute surprise que je te dise bonsoir, d'ailleurs ça m'a échappé, moi-même je n'en suis pas revenu[234], pas plus que de ce petit baiser réflexe que je t'ai donné, sur le front je crois.

Après quinze ans de vie commune il est des questions qu'on ne se pose plus, il est des oublis qui vont de soi. Depuis un bout de temps déjà, toi et moi on ne se parlait plus, à croire qu'on avait fait le tour, qu'on avait épuisé tous les sujets. Faire des efforts aurait été malhonnête alors on n'en faisait plus, même pas celui de faire semblant. Dans le fond c'était paisible, l'indifférence doit être une forme très aboutie[235] de la décontraction[236]. Dans un couple, quand les mots n'ont plus rien à soulever, c'est bien le signe que l'essentiel est

---

234. Ne pas en revenir (expr.) : *Être très surpris, étonné.*
235. Abouti (adj.) : *Réussi.*
236. Décontraction (n.f.) : *Détente, insouciance.*

sauf[237], garanti par le silence, il n'y a plus qu'à composer au fil de ses petites tâches, dérouler sa petite partition de choses à faire, chacun les siennes, chacun dans son coin. Tu vois, ce laisser-aller me manquait, c'est peut-être même pour ça que je suis rentré, pour cette paresse, ce naturel qui nous environne, ce manque absolu d'effort. La solitude c'est notre lien le plus fort, on passe chacun notre soirée dans son coin, on mange à peine ensemble, chacun son plateau-repas, toi dans tes bouquins, moi devant la télé, on communie[238] par la saveur du surgelé, pour le reste, on fait assiette à part. Au début de notre histoire on faisait de la moto, trois heures pour aller voir tes parents, cinq pour aller vers les miens, on passait nos week-ends à ça, à rouler les bouches closes, avant de partir on avait pris soin de faire le plein, pour ne pas avoir à s'arrêter, pendant des heures on se tenait à bras-le-corps[239] mais on ne se disait rien.

---

237. Sauf (adj.) : *Sauvé.*
238. Communier (v.) : *Partager des émotions, être en accord.*
239. À bras-le-corps (loc. adv.) : *Avec les bras passés autour du corps.*

Eh bien tu vois, si ce soir je devais te faire une déclaration, je ne te dirais pas autre chose que ça, ce qui me manquait le plus chez toi c'est cette façon dont tu ne te soucies pas de moi, c'est ce détachement qui m'accompagne, l'abandon assumé de nos deux corps qui ne se regardent plus. Notre petit chez-nous c'est le tableau complet du couple sans illusion, ça sent l'insouciance suave[240] et dolente[241] comme de l'encens, ce n'est pas que je sois heureux là-dedans, de toute façon le bonheur n'est pas un but en soi, en tout cas il ne suffirait pas à me faire rester, non, ce n'est pas je sois heureux chez nous, simplement j'y suis moi, naturel, sans faux-semblant.

Je reviens pour lire mes magazines dans le brouhaha[242] de tes conversations au téléphone, quand tu te mets dans l'autre pièce là-bas, je n'écoute même pas vraiment, et pourtant ça me fait comme une présence, c'est rassurant de savoir que tu es là. Je reviens pour

---

240. Suave (adj.) : *Douce.*
241. Dolent (adj.) : *Sans énergie, mou.*
242. Brouhaha (n.m.) : *Bruit confus.*

m'abandonner dans ta présence, par moments tu es dans une des pièces au fond, par moments tu es juste là, et cette imprécision me va.

On pourrait faire une vie comme ça, jusque-là c'est ce qu'on faisait, d'ailleurs beaucoup s'en tiennent à ça, le seul projet à moyen terme c'est de savoir ce qu'on va faire pour le lendemain, ne serait-ce qu'à manger, quant au reste, la journée se passera comme la veille, toute pareille, chacun dans un boulot qui a ses règles, des journées de travail sans réelle improvisation, sinon d'inventer le bon moment pour descendre en bas de l'immeuble fumer sa cigarette. Qu'est-ce que c'est bon de savoir que la vie a un sens, et qu'on l'a apprivoisé. C'est souverain[243] comme attitude, de n'avoir peur de rien, sinon les petites misères de tout le monde. Pour peu que tu bâilles[244] ça me donnera sommeil.

---

243. Souverain (adj.) : *Supérieur, de haute qualité.*
244. Bâiller (v.) : *Ouvrir la bouche involontairement sous l'effet de la fatigue ou de l'ennui.*

Ce soir en plus c'est parfait, il y a cette pluie d'orage qui nous isole un peu plus du monde, on communie dans le spectacle, on pourrait croire que c'est fait exprès. Pour l'occasion c'est les grandes eaux, de ces déluges[245] dont il est dit qu'il faudra s'y habituer. Dans la rue c'est le grand essorage, il tombe des cordes[246], une pluie tellement dense qu'on ne voit plus les immeubles en face, rien qu'un mur d'eau, comme rarement. C'est bon d'être là, simplement à la fenêtre, on se sent exister, on baigne dans la saveur du moment. T'as voulu éteindre la télé, à cause d'une vieille superstition[247], comme si la foudre était de ces choses qui en ville pouvaient arriver, comme s'il suffisait de couper le compteur pour dérouter le malheur. Pendant longtemps tes petites manies m'auront donné le goût de te contredire et de lutter, on se contrariait à propos de tout, un frigo mal fermé, un robinet ouvert, une attitude

---

245. Déluge (n.m.) : *Très forte pluie.*
246. Tomber des cordes (expr.) : *Pleuvoir très fort.*
247. Superstition (n.f.) : *Croyance au surnaturel, à quelque chose d'irrationnel.*

ou une réflexion aussi mal venue qu'une chaussette seule sur le parquet. Pendant des années, dans le fond, on n'aura fait que ça, s'opposer, alors qu'il aurait été tellement plus simple de s'ignorer. Mais non, il fallait qu'on s'entête, qu'on se déchire pour un oui ou pour un non, pour un non surtout. Seulement maintenant on a compris. Depuis quelque temps je la sentais venir cette zone opaque[248], cette phase où le couple n'est plus vraiment ensemble, où l'on est seul tout en étant là, seul mais à deux.

On regarde tous deux à la fenêtre, toutes lumières éteintes, les éclairs ravivent[249] le jour en train de sombrer, je sens en toi la fascination mélangée à la peur, alors que, s'il n'y avait que moi j'aurais laissé la fenêtre ouverte, ne serait-ce que pour sentir ce parfum de terre mouillée, de trottoirs rincés. Je te sens atteinte à la vue de tes petites balconnières[250] fragiles, les corolles

---

248. Opaque (adj.) : *Qui ne laisse pas passer la lumière (contraire de transparent). Ici, zone obscure, pas nette.*
249. Raviver (v.) : *Réveiller, rendre plus intense. Ici, cela signifie que la lumière des éclairs donne l'impression que c'est encore le jour (alors que le soir tombe).*
250. Balconnière (n.f.) : *Bac à fleurs adapté à un balcon.*

de pétunias[251] blancs plient sous l'ondée[252], les gouttes d'eau glissent sur les feuilles vernies du lierre, ce frêle jardin en miniature m'attendrit comme un moment de toi, impuissante, tu le regardes se faire tabasser[253] par l'averse, tu approches le visage de la vitre comme pour lui parler, dans un éclair plus vif qu'un autre la cour se gèle d'un grand flash, un fouet d'aluminium cingle[254] les carreaux, dans un réflexe ta main vient là sur mon bras, comme si c'était moi le moins fragile, on reste un peu comme ça, devant la pluie, on ne bouge pas, bercés un temps dans l'illusion rénovée[255], on est deux.

---

251. Pétunia (n.m.) : *Fleur (la corolle est l'ensemble des pétales, la « tête » de la fleur).*
252. Ondée (n.f.) : *Pluie soudaine et courte.*
253. Tabasser (v.) : *Frapper violemment.* (fam.)
254. Cingler (v.) : *Frapper.*
255. Rénové (adj.) : *Remis à neuf.*

Dix mois après ce 10 mai-là, 81[256]

On est deux. On a tout. Même pas vingt ans. Ce soir dans la petite chambre, comme il n'y a ni musique ni télé, que l'électricité a été coupée, on n'entend même plus le bruit du frigo. Ça sent le camphre[257], elle est au lit, elle n'arrive pas à se remettre d'une toux[258] qui n'en finit pas de descendre, une toux qui n'en finit pas de creuser, toujours plus bas, toujours plus profond, mais là bizarrement elle s'est endormie. À cinq heures du soir il fait déjà nuit, la

---

256. 10 mai 1981 : *Date à laquelle François Mitterrand a été élu président de la République pour la première fois.*
257. Camphre (n.m.) : *Substance au parfum très reconnaissable, présente notamment dans des crèmes ou des huiles de massage utilisées en cas de refroidissement.*
258. Toux (n.f.) : *Expiration, expulsion brusque et sonore de l'air contenu dans les poumons (surtout quand on a pris froid).*

journée devient moins évidente, la vie plus imprécise que jamais, si ça se trouve demain on trouvera un boulot, pour peu de se lever tôt, de ne plus tousser, de manger bien. Un jour, on fera des étagères, on finira par s'organiser, c'est clair, on file tout droit vers les lendemains qui chantent.

L'amour dans le fond est la seule partition qu'il nous reste à jouer. On en est là, agrippé à notre radeau[259] de neuf mètres carrés, le lit à même le sol, les vêtements par terre. Je te caresse la tempe[260], je ne peux rien faire contre ta fièvre, je peux juste trouver un fond de monnaie pour acheter des légumes, te faire une soupe, comme le ferait un parent. On a arrêté les études tous les deux il y a quelques mois, plus par insouciance[261] que par insoumission, par paresse en fait. On s'était dit qu'on s'aimait et que ça nous suffirait à vivre. On est deux, on a tout. On flambe des fonds de fonds

259. Radeau (n.m.) : *Petite construction plate qui peut flotter sur l'eau.*
260. Tempe (n.f.) : *Côté du front.*
261. Insouciance (n.f.) : *Légèreté, fait de ne pas s'inquiéter.*

de tiroirs[262], on travaille par à-coups[263]. On remplit nos journées de rien d'autre que ça. Depuis qu'on s'est rencontrés, en fin de compte, on s'avance toujours plus dans l'erreur, mais à deux. Les petits boulots s'enchaînent, on se croit une liberté dans l'histoire alors qu'en fin de compte c'est le monde qui se sert de nous, qui puise en nous une force, comme si on en avait, de la force. C'est des boulots de n'importe quoi ce qu'on fait, on nous prend, on nous jette, on ne leur laisse même pas le temps de nous aider, la plupart du temps on se barre[264] avant. Je ne voulais plus te voir travailler chez ce fleuriste, te savoir tout le temps dans le froid, pas de chauffage, une devanture[265] ouverte à longueur de journée, je n'ai pas supporté de te voir comme ça, de t'entendre tousser, tu es bien plus délicate que toutes ces fleurs que tu vendais, les pieds dans l'eau t'en finissais pas

---

262. Flamber des fonds de fonds de tiroirs : *Dépenser sans compter (flamber) le peu d'argent que l'on a (les fonds de tiroir).*
263. Par à-coups : *De temps en temps.*
264. Se barrer (v.) : *Partir.* (fam.)
265. Devanture (n.f.) : *Partie avant d'un magasin où sont étalées les marchandises.*

de trembler. Moi de mon côté je n'ai pas tenu dans l'intérim[266], chez ces livreurs de colis, ces arnaqueurs du BTP[267], cette façon dont on me parlait, dès quatre heures du matin, même le chien ils le faisaient monter en premier dans le camion.

Parfois, quand on tente sur nous une explication, on se dit qu'on a pris un mauvais départ, qu'on est parti trop tôt de chez nos parents, alors que nos parents ils vivaient la même chose, la même improvisation, les mêmes dérèglements.

Dans la petite piaule le chauffage est à fond. Je ne comprends pas. Les fenêtres laissent passer trop d'air. Il fait nuit maintenant. Il est six heures, je n'allume pas, je ne voudrais pas te réveiller, simplement il nous faudrait juste des poireaux, des carottes, du céleri, des oignons peut-être, je ne sais pas comment faire une

---

266. Intérim (n.m.) : *Abréviation de travail intérimaire, c'est-à-dire travail temporaire (lorsqu'on est intérimaire, on est inscrit dans une agence qui de temps en temps propose des missions en entreprise).*
267. Arnaqueurs du BTP : *Escrocs, personnes malhonnêtes du secteur de la construction (BTP : Bâtiments et Travaux Publics).*

soupe. Je ne vais pas te réveiller pour te demander ça. Tu ne le sais sûrement pas. Non, il n'y a ni torpeur[268], ni malaise, ni malheur dans tout ça, après tout on est bien, on est au calme, on est chez soi. C'est ce qu'on voulait au départ, être chez soi, personne ne peut nous demander de partir, c'est chez nous. Ce monde neutralisé par ta fièvre, le présent comme une ouate[269], les bruits de la rue viennent de plus loin encore que d'habitude. Je vais prendre des légumes, verts, tous verts, et des pommes de terre aussi, sûrement qu'il en faut, et je ferai bouillir tout ça après l'avoir coupé en petits morceaux, mais d'abord j'attends que tu te réveilles, de toi-même, pour te dire que je sors. Je ne voudrais pas que tu te réveilles et que je ne sois plus là. Je ne veux pas prendre le risque de t'inquiéter, de te faire du mal, parce que je t'aime tout simplement, aimer c'est veiller sur l'autre, aimer c'est être là. On est au dernier étage de l'immeuble, au-dessous les vies sont organisées.

---

268. Torpeur (n.f.) : *Ralentissement, sommeil.*
269. Ouate (n.f.) : *Coton. Ici, l'ambiance du moment est douce, feutrée, il n'y a pas beaucoup de bruit.*

Il faudra que je pense aussi à prendre de la crème fraîche, je sais que tu aimes la soupe un peu blanchie, je t'ai vue faire une fois, la fois où on est allés manger chez ta mère, un peu folle, un peu barrée, qui ne voulait même pas comprendre qui j'étais pour toi, qui s'en foutait, ta mère qui voulait surtout savoir à quelle heure tes trois frères rentreraient le soir, s'ils rentraient, c'était n'importe quoi chez ta mère, ton père n'était pas là, c'était une chance tu disais. S'il est trop tard pour faire une soupe je te ferai des coquillettes[270] trop cuites, bien gonflées.

Dans les appartements en dessous les enfants sont tous rentrés de l'école, ils en sont aux devoirs ou aux dessins animés, les parents dans la cuisine parlent entre eux. Moi je ne te parle pas. Je m'en garde bien. Je veille à ta respiration, ce n'est pas ton nez qui est pris, ce n'est pas ta gorge, le souffle vient réellement de plus bas. On ne sait pas y faire vraiment. Si ça se trouve il faudrait appeler un médecin, on devrait peut-être s'inquiéter, mais qu'est-ce

---

270. Coquillette (n.f.) : *Petite pâte (les coquillettes sont souvent cuisinées pour les enfants).*

que tu veux, la vie c'est comme un nouveau-né, on ne sait pas bien par où la prendre. Toi et moi, on ne cherche même pas à se détruire, au contraire, on a même arrêté. De là où on est, du septième étage, on voit la ville, en allant près de la fenêtre je la vois bien. On sent que c'est un jour en semaine, il y a la cohue[271] classique de dix-neuf heures, des voitures pressées de rentrer, qui passent à l'orange, des passants qui n'attendent pas le rouge pour traverser, des bus pris de hoquets[272]. C'est fascinant de voir ça d'en haut, comment chacun gère sa petite infraction[273]. La question que je me pose c'est comment on y rentre dans ce monde. Le petit réduit[274] qu'il y a là à gauche c'est le coin cuisine, un lavabo, un mini frigo qui ronronne, une étagère, un gaz unique, quand on est au milieu de ça on a tout juste la place de se retourner.

---

271. Cohue (n.f.) : *Foule agitée (les gens se bousculent).*
272. Bus pris de hoquets : *Bus qui s'arrête et redémarre sans arrêt.*
273. Infraction (n.f.) : *Non-respect d'une règle.*
274. Réduit (n.m.) : *Très petit espace.*

Quand tu iras mieux on se trouvera une formation, pourquoi pas dans un bureau, peut-être ça t'irait bien, à moins que tu reprennes tes études, qu'il y en ait au moins un de nous deux qui se reconnecte un peu au réel. Je suis à plus de deux mètres de toi et pourtant le contact est fort, intense, impossible à rompre[275]. Moi je pourrais bien donner un coup de main à D, pour ses magouilles[276], ses savonnettes de résine[277], mais tu n'aimes pas ça, ces gars-là tu ne veux plus que je les revoie, tu dis que ça finira mal. Alors que moi, je n'ai même pas l'idée que les choses puissent finir bien. Tout finit mal. En attendant c'est toi qui es malade. Il y a un médecin dans l'immeuble, mais sa femme ne nous aime pas, quant à lui, jamais je n'irais lui demander quoi que ce soit à ce type, on s'est insultés à l'époque du scooter, quand on en avait un, je suis même sûr que c'est lui qui l'a fait enlever. Un médecin, je suis même

---

275. Rompre (v.) : *Briser, casser.*
276. Magouille (n.f.) : *Entente malhonnête, douteuse, escroquerie.*
277. Savonnettes de résine : *Ici, cannabis sous forme de petite plaque.*

plus très sûr que ça soigne. Et toi dans l'idéal, si t'allais mieux, tu voudrais quoi, reprendre tes cours de théâtre sans doute, comme s'il suffisait de prendre des cours pour faire du théâtre, mais bon je suis chaque fois allé te chercher, deux séances par semaine, en banlieue, à l'autre bout là-bas. Je voulais pas que tu rentres seule dans le métro à minuit. Maintenant, quand je te vois croire à ces histoires, quand je te vois t'emballer[278] jusqu'à trois heures du matin en me racontant comment ça s'est passé sur telle scène, à quel point on te disait que tu jouais bien, que t'es douée, que tout le monde te le dit, que ta carrière est assurée, sur le coup je n'en montre rien, je fais semblant d'y croire. Je pense juste au chèque que le type nous prend tous les trois mois. En même temps, si on fait le compte, le théâtre c'est bien le seul truc auquel t'as l'air de croire vraiment. Je suis sûr que ça te ferait guérir si je te disais que j'avais de quoi t'en remettre pour un trimestre de cours, un trimestre de théâtre ça te remettrait tout de

---

278. S'emballer (v.) : *S'enthousiasmer.*

suite sur pied. Par la fenêtre ça se voit bien, les magasins sont fermés. Non, ne te réveille pas, dors, mon amour, je reviens, je sors, je vais juste là.

Plutôt que de faire une soupe je vais bouger un peu, faire deux trois mouvements, Montfermeil, porte des Lilas, en prime[279] ça payera notre petite consommation[280], ça ira pour les trois mois. Tu verras, tout ira mieux, dès demain matin tout ira mieux, c'est vrai que parfois, quand on flotte un peu tous les deux dans les volutes[281] d'un shit[282] bien neuf, qu'on baigne dans l'allégresse[283] de se savoir une bonne dizaine de billets d'avance, on passe un bon moment à y croire, on se fait un petit dîner, tu t'achètes même des livres neufs, on se cuit des viandes préparées par le boucher d'en bas, des paupiettes[284] comme il sait qu'on les

---

279. En prime (expr.) : *En plus.*
280. Consommation (n.f.) : *Ici, sous-entendu consommation de cannabis.*
281. Volute (n.f.) : *Forme enroulée de la fumée.*
282. Shit (n.m.) : *Cannabis.* (fam.)
283. Allégresse (n.f.) : *Joie.*
284. Paupiette (n.f.) : *Morceau de viande farci, roulé et attaché avec de la ficelle.*

aime. Du coup, la chambre de bonne[285] c'est le troisième étage de la tour Eiffel, pour quelques soirées au moins, tu me joues des bouts de rôles que tu sais à peine par cœur, moi je te regarde sans jamais pouvoir te quitter des yeux, j'écoute à peine, je te vois, la vie c'est notre petit film à tous les deux. La vie, c'est notre petit film à tous les deux.

---

285. Chambre de bonne : *Chambre sous les toits.*

Cette main de moi qui tremblait

Évidemment, suite à notre grande décision on ne se voyait plus, sinon que tous les deux mois je passais chez elle pour dîner en tête à tête, on s'en tenait au moins à ça. Et c'est comme ça qu'un soir, alors que je la visitais dans sa nouvelle vie, son fringant[286] appartement, elle a surpris cette absolue nouveauté, cette cruelle bizarrerie, ma main droite, à peine suspendue au-dessus de l'assiette, et qui tremblait.

— Dis !

— Quoi ?

Du coup elle n'a plus rien dit, suffoquée[287] elle s'est assise, fixant ma main comme une

---

286. Fringant (adj.) : *Ici, neuf, pimpant, agréable.*
287. Suffoqué (adj.) : *Qui a du mal à respirer, ici, à cause d'une émotion forte.*

parfaite intruse[288]. Moi-même je n'en revenais pas. Jusque-là je n'avais rien remarqué de cette fine convulsion[289], je n'avais pas vu, ou n'avais pas voulu voir. La différence je ne la fais pas.

Non vraiment, je crois que je n'avais rien vu. Je n'avais même rien senti.

Quoi que ce soit.

Dites docteur.
Vous en pensez quoi ?

— À votre âge c'est, enfin...
— Pardon ?
— Pour dire les choses simplement, passé soixante ans c'est là que les premiers troubles de la maladie apparaissent.

Huit jours après on se retrouve là elle et moi face à ce toubib[290], elle a tellement insisté pour m'accompagner, cette compagne de toujours avec laquelle on venait pourtant de divorcer depuis un an. Pour le coup on était

288. Intrus (n.m.) : *Personne, chose qui ne devrait pas être là.*
289. Convulsion (n.f.) : *Spasme, contraction involontaire des muscles.*
290. Toubib (n.m.) : *Médecin.* (fam.)

là tous deux, réconciliés malgré tout, à essayer d'interpréter son regard au toubib, parce qu'il en mettait de la précaution, on le sentait bien, il parlait en évitant de faire mal, il essayait de réinstaurer[291] ce qu'il faut de confiance dans tout ça, à la limite c'était touchant. Bizarrement, tout le temps que nous étions dans la salle d'attente ma main n'avait pas tremblé, elle en était presque soulagée, ma femme, d'y voir comme une rémission[292]. Et puis dès le début de la consultation les noms fatidiques[293] sont tombés dans la bouche du neurologue, posant les termes de la maladie comme on décide d'un sort, alors pour le coup, je ne sais pas pourquoi, j'ai eu l'impression que ma main était plus incontrôlable que jamais. C'est vrai aussi que ce qu'il nous disait était brutal. Même si le traitement aiderait beaucoup, dans un premier temps, à limiter les symptômes[294], ça n'irait pas en s'arrangeant, on peut lui reconnaître

---

291. Réinstaurer (v.) : *Réinstaller, recréer.*
292. Rémission (n.f.) : *Pause dans une maladie, diminution des symptômes.*
293. Fatidique (adj.) : *Fatal, marqué par le destin.*
294. Symptôme (n.m.) : *Signe extérieur d'une maladie.*

ça, il était franc, en même temps, c'est moi qui lui avais demandé. L'objectif dans un premier temps était de contenir les tremblements, de les maîtriser, mais pour le reste il ne fallait pas rêver, rien ne serait plus comme avant, dans le fond c'est le postulat[295] du temps qui passe, à quoi sert que le présent s'entête.

À cause du traitement il faudra revenir régulièrement, pour le suivi, pour voir surtout comment je tolérerai[296] tous ces nouveaux médicaments. Il nous parlait de moi comme d'un môme qu'on attendrait, un môme qui serait là à naître dans quelques mois, et de cette attention nouvelle qu'il faudra dès lors lui porter. Des enfants on en a eu deux déjà, mais depuis le temps, c'est comme si on n'en avait plus, ou si peu, ou si loin, si indifférents, sans compter celui qu'on a perdu, mais ça, c'est une autre histoire, c'était un tout autre toubib d'ailleurs, avec cette même application dans le regard, cette délicatesse tout de même, de bien tout nous faire comprendre.

---

295. Postulat (n.m.) : *Hypothèse, théorie.*
296. Tolérer (v.) : *Supporter.*

Total, on n'est que nous deux ce soir face à ce toubib, avec lui ça fait trois, on est là tous les trois à faire durer une conversation alors qu'on aurait tout donné pour qu'elle n'ait pas eu lieu, on ressasse les obstacles comme si ça pouvait les repousser, on se raccroche à des façons de dire, après tout de nos jours la pharmacologie[297] n'en finit pas de faire des progrès, mais bon il faut être clair tout de même, jusqu'à preuve du contraire, de cette maladie on n'en guérit pas. On l'écoute, un peu perdus il faut le reconnaître, déboussolés[298] face à cette vie nouvelle qui m'attend une fois sorti de la consultation, mais le vrai moment de trouble, le parfait flottement, c'est quand il nous dit sous forme d'atténuation[299], comme s'il disait qu'à toute chose malheur est bon, que c'est une chance qu'on soit deux face à ce genre de situation, parce qu'une maladie dégénérative[300]

---

297. Pharmacologie (n.f.) : *Science des médicaments.*
298. Déboussolé (adj.) : *Désorienté, perdu.*
299. Atténuation (n.f.) : *Fait de rendre quelque chose moins fort, moins grave.*
300. Maladie dégénérative : *Maladie qui évolue vers une dégradation d'un ou de plusieurs organes, maladie qui s'aggrave au fur et à mesure.*

comme celle-là, on ne l'affronte pas tout seul, tout seul ça ne peut pas.

Je la sens à côté de moi, qui comme moi, n'ose pas regarder à côté. On ne s'observe pas ma femme et moi, et pourtant on suit dans la tête de l'autre le monologue qui se répand. Mais très vite le médecin reprend le dessus, à nouveau il part dans ses développements pratiques. En dépouillant[301] les résultats du scanner il dissèque[302] tout haut ces clichés de l'intérieur de mon être, il y a chez lui comme la satisfaction de tout comprendre, de bien expliquer, nuancée par la précaution de ne pas affoler. Alors il parle de mon cerveau comme d'un être autre, délicat, un fœtus[303] dont on serait les dépositaires. On en est là à parler de mon cerveau comme il y a trente-cinq ans on se retrouvait à parler de ce fameux nouveau-né à naître, notre premier bébé... ça fait qu'on se pose des tas de nouvelles questions, et d'abord, est-ce qu'on arrivera vraiment à bien

301. Dépouiller (v.) : *Ici, étudier de près.*
302. Disséquer (v.) : *Ici, examiner dans tous les détails.*
303. Fœtus (n.m.) : *Stade du développement du bébé dans le ventre de la mère (à partir de trois mois de grossesse).*

s'en occuper, à partir de là on essaye abstraitement d'évaluer jusqu'à quel point notre vie va changer, c'est grisant[304], et en même temps un peu paniquant… Enfin bref, les questions que se posent tous nouveaux parents.

En résumé des solutions il y en a, à coup sûr la pharmacologie propose des nouvelles molécules, mais il faudra trouver les bonnes, surtout il faudra bien les supporter, parce que tout de même, au niveau des effets secondaires, apparemment ça assomme un peu.

— Si je comprends bien, c'est un traitement à vie.

— À vie.

— Et, comment, pour ce qui est de l'avenir ?

— Disons que pour ce qui est l'avenir, en l'état actuel des choses, en ce qui vous concerne, enfin… l'essentiel croyez-moi, c'est d'être bien entouré.

---

304. Grisant (adj.) : *Enivrant, excitant, qui met dans un état un peu euphorique.*

Par la fenêtre on entend l'avenue en bas, il y a des voitures qui passent, par la fenêtre on les entend. Des tas de gens qui se déplacent. C'est vendredi après tout. Passe même un bus, avec sûrement un tas de gens calés[305] entre les vitres, vidés par une journée de travail. Grand bien leur fasse. Un traitement à vie, ça veut dire vivre grâce à un traitement, ça veut dire vivre avec l'obsession de guetter un nouveau symptôme, une nouvelle zone de tremblements, un orteil qui se met à bouger, ou la main de plus en plus fort, noter une récente difficulté à marcher, surtout au moment de se lever, ça veut dire s'évaluer de façon permanente à l'aune[306] de ce que l'on sait de soi, de la façon qu'avait le corps de nous répondre la veille, accepter pourquoi pas le défaut d'équilibre, le minimiser en se trouvant des raisons autres, incriminer[307] le traitement, oui c'est ça, si on tremble on en viendra même à se dire que c'est la faute au traitement, pour les vertiges ce sera

305. Calé (adj.) : *Ici, installé.*
306. À l'aune de (loc. prép.) : *Par comparaison avec, en prenant pour référence.*
307. Incriminer (v.) : *Accuser, mettre en cause.*

pareil, la faute aux médicaments, le détour suprême de l'orgueil dans la maladie, c'est d'en venir à incriminer les médicaments plutôt que le corps lui-même, une façon de sauver pour soi-même les apparences, se dire que dans le fond tout va bien, et que sans le traitement tout irait bien… Et puis deux jours plus tard, se dissoudre[308] à nouveau dans la peur, trébucher sur une marche absente, tout remettre en cause de ce peu d'assurance qu'on avait repris, être submergé par la peur de l'aggravation, ressentir la difficulté de se concentrer en lisant un livre, en suivant une conversation, en n'arrivant pas à rentrer sa lettre dans la case du mot croisé. Une maladie dégénérative ça veut dire vivre en s'écoutant en permanence, c'est comme vivre en dehors de soi, juste à côté, à s'observer, à tout veiller, ça inscrit un peu plus abstraitement dans l'avenir, c'est là qu'on réalise que la vie est une idée qu'a été longue à venir, c'est là qu'il apparaît inouï ce don sublime d'être simplement en vie. À l'avenir on sait qu'on sera

---

308. Se dissoudre (v.) : *Fondre, disparaître.*
Se dissoudre dans la peur : *être envahi, anéanti par la peur.*

vivant certes, mais d'une façon absolument consciente quitte à s'en émerveiller toutes les deux secondes.

En ayant le bras posé le long du bel accoudoir[309], la bizarrerie maintenant je la ressens bien, c'est de voir cette main de moi qui tremble mine de rien, cette main hors de moi, entraînant même un peu le poignet. Pour peu que je tende le bras comme me le demande perfidement[310] le toubib, tout s'emballe[311], j'ai beau y faire, j'ai beau me concentrer bien comme il faut, j'ai même beau essayer de me raisonner, de me parler comme à quelqu'un qui me voudrait du bien, j'ai beau me coincer la lèvre inférieure entre les incisives[312] pour essayer de contrôler quelque chose en moi, je n'y arrive pas, rien à faire pour adoucir cette main qui prend peur, cette main prête à amener

---

309. Accoudoir (n.m.) : *Partie d'un siège où l'on peut poser les bras.*
310. Perfidement (adv.) : *De manière déloyale, méchamment. Ici, de manière hypocrite, sournoise.*
311. S'emballer (v.) : *Ici, accélérer, se dérégler.*
312. Incisive (n.f.) : *Dent.*

le corps en entier, à tout conquérir. C'est pourquoi on se retrouve là tous les trois, ma main,
ma femme et moi, comme on l'était il y a trente
ans, comme quand Théo n'était pas bien.

— Allez-y, tendez encore un peu pour voir.

— Mais vous voyez bien…

— Allongez plus loin votre bras, vers
moi…

Ma main est là, à un bon mètre de mon
visage, l'ironie c'est de la sentir traître, prendre
conscience qu'elle n'est plus vraiment mienne,
qu'elle m'a quitté. C'est vrai dans le fond, c'est
tellement simple, qu'une main réponde norma-
lement à un cerveau, qu'à partir de là le geste
en découle au point qu'on y pense même pas,
le cerveau fait tout, on n'y songe jamais, un
organe c'est comme ça, c'est généreux, c'est en
nous, ça module[313] en fonction des efforts, ça
se tait, ça filtre, ça assure, ça nous porte dans
l'ombre, ça fait tout à notre place, et puis un
beau jour, ça nous laisse là, avec une main qui
ne veut plus écouter.

---

313. Moduler (v.) : *Faire varier, adapter. Ici, ça varie.*

— Dites, ça va aller ?

— Oui, ça va.

Le toubib me tend une feuille, puis une deuxième, puis trois, d'ailleurs il ne me les tend pas vraiment à moi mais à ma femme à côté de moi, cette femme réinstallée dans un rôle qu'elle ne présume pas bien, mais il n'empêche que c'est elle qui ramasse tout, qui replie bien, et quand je vais pour faire un chèque, c'est elle qui me prend le stylo et le chéquier des mains, parce que là vraiment, ce coup-ci c'est pire que tout. Au moment de conclure, on traîne un peu dans le cabinet, on n'arrive pas à se quitter, comme des mômes, il nous regarde comme un enseignant submergé par l'envie de faire quelque chose, même debout il continue de tout bien nous expliquer, il sent bien qu'en deux ou trois mots il pourrait dissiper toute angoisse, qu'il pourrait égayer[314] jusqu'à l'idée même de rentrer, mais ces deux trois mots-là il les frôle, il les approche, mais il ne les dit pas.

Comme par un fait exprès en se retrouvant sur le trottoir il fait froid, des voitures filent

---

314. Égayer (v.) : *Rendre joyeux.*

vite le long de l'avenue, passent deux bus qui ne nous concernent pas, mais ce coup-là je suis fatigué, c'est l'effet secondaire des médicaments, avant même de les avoir achetés. Sans se le dire on sent bien qu'elle va me raccompagner, alors on va se prendre un taxi pour rentrer, on a bien mérité ça, pour la pharmacie on se dit qu'on verra demain, on ira dans mon quartier, notre quartier. Pour l'instant on cherche juste un taxi, qu'un habitacle[315] chauffé veuille bien nous ramener jusqu'au petit trois-pièces où on a passé tant d'années, trente en tout. À l'arrière d'une voiture, posés, c'est sûr qu'on y verra plus clair, plus clair sans doute que dans le métro ou dans je ne sais quel bus bondé d'incommodés[316], dans un taxi au moins on se sentira protégés du monde, l'avenir nous doit bien ça, on y verra comme une réparation. Un vendredi soir de décembre dans Paris, on a beau dire, ça tient toujours plus ou moins du sacré, ça sent la procession, on voit bien que tous ces gens-

---

315. Habitacle (n.m.) : *Partie d'un véhicule réservée aux passagers.*
316. Bondé d'incommodés : *Rempli de personnes mal à l'aise (car trop serrées).*

là n'ont qu'une idée en tête, l'envie de rentrer. Ce soir il n'y a même pas de file d'attente d'emmitouflés[317] devant les cinémas, les cafés brillent comme s'il y avait du monde, les boutiques sont illuminées comme si elles étaient encore ouvertes, ça sent le repli[318] jusque dans la démarche des piétons. On rentre, ma petite main et moi, et cette femme, avec laquelle, le temps d'un trajet, je me retrouve épaule contre épaule. Elle me raccompagne jusqu'à chez moi, puisque chez nous c'est devenu chez moi. Par la force des choses, on se retrouve à l'arrière d'un taxi comme si vraiment ça allait de soi qu'on était deux, comme s'il y avait encore des cadeaux à faire, un week-end à prévoir, des mômes à coucher.

Ce soir on rentre en couple potable[319], avec l'idée de se mettre au chaud, de manger un bout pourquoi pas, elle parle de me préparer quelque chose. Ce soir tout ce qui me mobilise,

---

317. Emmitouflé (adj.) : *Couvert par des vêtements chauds.*
318. Repli (n.m.) : *Retraite, fait de rentrer, de se retirer.*
Ça sent le repli : *tout le monde rentre chez soi.*
319. Potable (adj.) : *Acceptable, correct.*

c'est le désir opiacé[320] de ne pas bouger. C'est de ces phases où le dehors devient inutile, où le monde est hostile, je me sens agressé par tout, alors que le mal en l'occurrence, le seul danger qu'est là à me guetter, il est nulle part ailleurs qu'en moi. Alors voilà, c'est là que le temps d'un dîner, mon chez-moi redevient notre ancien chez-nous. C'est elle qui reprend les choses en main, elle fait des pâtes et ranime trois légumes du fond du frigo, elle retrouve même le parmesan à mettre dedans. On mange tous les deux. Une fois qu'on a fini, je sens qu'elle commence un peu de chercher le bon moment de partir, elle rassemble ses affaires dans son sac, alors je me dis que je vais lui proposer de nous faire un petit café, non un déca[321] plutôt, oui bien sûr, un déca, histoire de faire durer un peu. Et puis finalement, c'est une tout autre phrase qui m'échappe.

— Tu restes dormir ?

---

320. Opiacé (adj.) : *Qui fait le même effet que l'opium.*
321. Déca (n.m.) : *Abréviation de café décaféiné.* (fam.)

TABLE DES MATIÈRES

Crédits

Principe de couverture : David Amiel et Vivan Mai
Direction artistique : Vivan Mai
Crédits iconographiques de la couverture : Adam Gault/Ojo Images/Gettyimages

Relecture et mise en pages : Nelly Benoit

Enregistrement, montage et mixage : Studio EURODVD

ISBN 978-2-278-07395-5 – ISSN 2270-4388
Dépôt légal : 7395/06
Achevé d'imprimer en août 2021 sur les presses numériques de Jouve-Print (Mayenne)
N° 2965767U